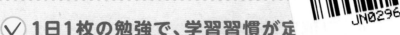

学研 **毎日のドリルの 特長と使い方**

やりきれるから自信

JN029691

☑ 1日1枚の勉強で、学習習慣が定

◎目標時間にあわせ、負担のない量の問題数で構成されているので、
「1日1枚」やりきることができます。

◎教科書に沿っているので、授業の進度に合わせて使うこともできます。

☑ すべての学習の土台となる「基礎力」が身につく!

◎「基礎」が身についていなければ、発展的な学習に進むことはできません。
スモールステップで構成され、1冊の中でも繰り返し学習していくので、
確実に「基礎力」を身につけることができます。

☑ 「基本」→「実力アップ」のくり返しで、確実な学力がつく!

本書は、基本問題と実力アップ問題で構成されています。基礎を固めてから、
総合・発展的な問題に挑戦することで、さらに理解を深めることができます。

使い方

1 1日1枚、集中して解きましょう。

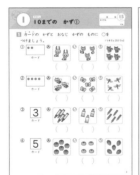 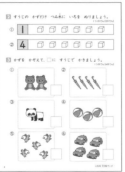

◎「きほん」と「実力アップ」があります。

「きほん」を学習したら、「実力アップ」に進みましょう。

◎1回分は、1枚(表と裏)です。

1枚ずつはがして使うこともできます。

◎目標時間を意識して解きましょう。

ストップウォッチなどで、かかった時間をはかりましょう。

2 おうちの方に、答え合わせをしてもらいましょう。

・本の最後に、「こたえとアドバイス」があります。

・答え合わせをしてもらったら、
巻頭の「とくてんひょう」に点数を記入しましょう。

できなかった問題を解き直すと、より力がつくよ!

とくてんひょう ▶

	がくしゅうないよう	とくてん	50てん いじょう	100 てん
① きほん	10までの かず①	てん	☆	☆
② 実力アップ	10までの かず①	てん	☆	☆
③ きほん	10までの かず②	てん	☆	☆
④ 実力アップ	10までの かず②	てん	☆	☆
⑤ きほん	なんばんめ	てん	☆	☆
⑥ 実力アップ	なんばんめ	てん	☆	☆
⑦ きほん	いくつと いくつ	てん	☆	☆
⑧ 実力アップ	いくつと いくつ	てん	☆	☆
⑨ きほん	たしざん	てん	☆	☆
⑩ 実力アップ	たしざん	てん	☆	☆
⑪ きほん	ひきざん	てん	☆	☆
⑫ 実力アップ	ひきざん	てん	☆	☆
⑬ きほん	かずの せいり	てん	☆	☆
⑭ 実力アップ	かずの せいり	てん	☆	☆
⑮ きほん	20までの かず①	てん	☆	☆
⑯ きほん	20までの かず②	てん	☆	☆
⑰ 実力アップ	20までの かず	てん	☆	☆
⑱ きほん	3つの かずの けいさん	てん	☆	☆
⑲ 実力アップ	3つの かずの けいさん	てん	☆	☆
⑳ きほん	ながさくらべ	てん	☆	☆
㉑ きほん	かさくらべ、ひろさくらべ	てん	☆	☆
㉒ 実力アップ	大きさくらべ	てん	☆	☆
㉓ きほん	くり上がりの ある たしざん①	てん	☆	☆
㉔ きほん	くり上がりの ある たしざん②	てん	☆	☆
㉕ 実力アップ	くり上がりの ある たしざん	てん	☆	☆
㉖ きほん	くり下がりの ある ひきざん①	てん	☆	☆
㉗ きほん	くり下がりの ある ひきざん②	てん	☆	☆
㉘ 実力アップ	くり下がりの ある ひきざん	てん	☆	☆
㉙ きほん	大きな かず①	てん	☆	☆
㉚ きほん	大きな かず②	てん	☆	☆
㉛ きほん	大きな かず③	てん	☆	☆
㉜ 実力アップ	大きな かず	てん	☆	☆
㉝ きほん	とけい	てん	☆	☆
㉞ 実力アップ	とけい	てん	☆	☆
㉟ きほん	かたち	てん	☆	☆
㊱ 実力アップ	かたち	てん	☆	☆
㊲ きほん	いろいろな 文しょうだい	てん	☆	☆
㊳ 実力アップ	いろいろな 文しょうだい①	てん	☆	☆
㊴ 実力アップ	いろいろな 文しょうだい②	てん	☆	☆
㊵ テスト	まとめテスト①	てん	☆	☆
㊶ テスト	まとめテスト②	てん	☆	☆

10までの かず①

1 カードの かずと おなじ かずの ものに ○を
つけましょう。

1つ8てん【32てん】

①
カード

あ
（　　）

い
（　　）

う
（　　）

②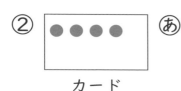
カード

あ
（　　）

い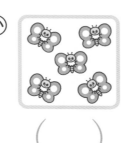
（　　）

う
（　　）

③
カード

あ
（　　）

い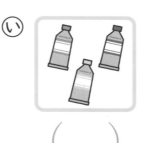
（　　）

う
（　　）

④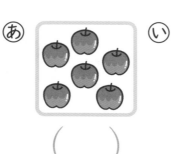
カード

あ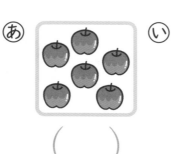
（　　）

い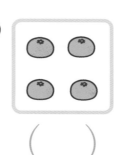
（　　）

う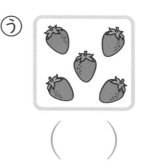
（　　）

2 すうじの　かずだけ　つみ木に　いろを　ぬりましょう。

１つ10てん【20てん】

①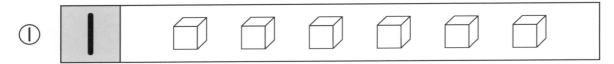

②

3 かずを　かぞえて、□に　すうじで　かきましょう。

１つ8てん【48てん】

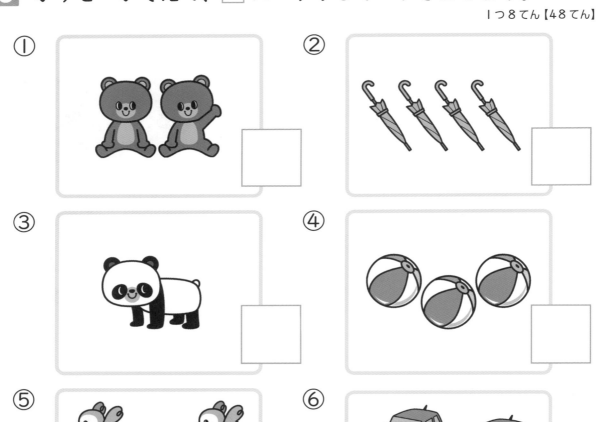

①

②

③

④

⑤

⑥

4

こたえ ▶ 85ページ

10までの　かず①

1 おおい　ほうに　○を　つけましょう。

1つ6てん【24てん】

①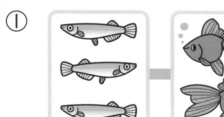

（　　　　）　　　　（　　　　）

②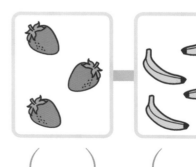

（　　　　）　　　　（　　　　）

③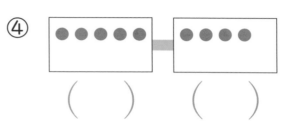

（　　　　）　　　　（　　　　）

④

（　　　　）　　　　（　　　　）

2 大きい　ほうに　○を　つけましょう。

1つ7てん【28てん】

①

（　　　　）　　　　（　　　　）

②

（　　　　）　　　　（　　　　）

③

（　　　　）　　　　（　　　　）

④

（　　　　）　　　　（　　　　）

3 えんぴつが 5本 あります。かくした かずを □ に すうじで かきましょう。

1つ6てん【18てん】

① □

② □

③ □

4 えを 見て、□ に あう かずを すうじで かきましょう。

□1つ6てん【30てん】

① さかなは ぜんぶで □ ひき。

② 大きい さかなは □ ぴきで、

小さい さかなは □ ひき。

③ 青い さかなは □ ひきで、

くろい さかなは □ びき。

こたえ ▶ 85ページ

10までの　かず②

1 おなじ　かずを　―――で　つなぎましょう。

1つ5てん【40てん】

　　　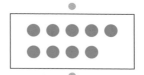

| 7 | 6 | 9 | 8 |

2 かずを　かぞえて、□に　すうじで　かきましょう。

1つ4てん【12てん】

① 　　② 　　③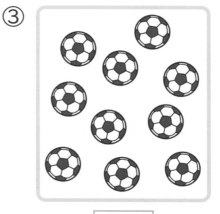

3 大きい ほうに ○を つけましょう。 1つ5てん【20てん】

①

( ) ( )

②

( ) ( )

③

( ) ( )

④

( ) ( )

4 □に あう すうじを かきましょう。 □1つ4てん【16てん】

5 たま入れを しました。入った たまの かずを、□に すうじで かきましょう。

1つ4てん【12てん】

① 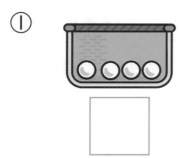　② 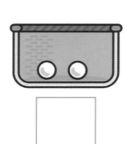　③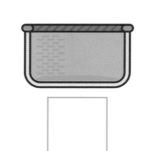

こたえ ▶ 85ページ

10までの かず②

1 10こと あと なんこ ありますか。□に すうじで かきましょう。

1つ8てん【16てん】

①

②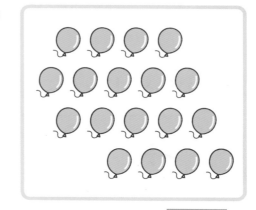

10こと あと □ こ　　　10こと あと □ こ

2 くりは かきより なんこ おおいですか。　　【8てん】

（　　　　　こ）

3 □に あう すうじを かきましょう。　　□1つ7てん【28てん】

① | 5 | □ | 3 | 2 | □ |

② | □ | 9 | 8 | 7 | □ |

9

4 いちばん 大_{おお}きい かずを かきましょう。 1つ8てん【16てん】

① 5 1 3 ② 7 6 9

(　　　　) (　　　　)

5 小_{ちい}さい じゅんに かきましょう。 1つ8てん【16てん】

① 4 2 7 ➡ □ , □ , □

② 10 1 0 ➡ □ , □ , □

6 下_{した}の かずに ついて こたえましょう。 1つ8てん【16てん】

5 3 8 4 10 6

① いちばん 小さい かずを かきましょう。

(　　　　)

② 7より 大きい かずを ぜんぶ かきましょう。

(　　　　)

10

こたえ ▶ 85ページ

1 下の えを 見て、□に あう かずを かきましょう。

1つ10てん【20てん】

まえ　ねずみ　ねこ　いぬ　さる　きつね　ぶた　パンダ　ぞう　うしろ

① さるは まえから □ ばんめです。

② いぬは うしろから □ ばんめです。

2 下の えを 見て、□に あう かずや ものの なまえを かきましょう。

1つ10てん【30てん】

ぼうし
グローブ
とけい
ぬいぐるみ
ボール
本
じどう車
かばん

① とけいは 上から □ ばんめです。

② グローブは 下から □ ばんめです。

③ 上から 6ばんめは □ です。

3 下の えを 見て こたえましょう。

左 — かずや　さとみ　ケン　りか　ゆうた　エマ　しんご — 右

① ゆうたさんは 左から なんばんめですか。

（　　　　　　ばんめ）

② ゆうたさんは 右から なんばんめですか。

（　　　　　　ばんめ）

③ 右から 6ばんめは だれですか。

（　　　　　　　　）

4 いろを ぬりましょう。

① まえから 4わに いろを ぬりましょう。

まえ

② まえから 4わめに いろを ぬりましょう。

まえ

こたえ ▶ 86ページ

1 下の　えを　見て、□に　あてはまる　かずや、
あ、い、う、…の　しるしを　かきましょう。　□1つ10てん【50てん】

上

左　　　　　　　　　　　　　　　　右

下

① ⓚの　ロッカーは、右から　□　ばんめで、

　上から　□　ばんめです。

② ⓣの　ロッカーは、左から　□　ばんめで、

　下から　□　ばんめです。

③ 左から　4ばんめで、下から　3ばんめの

　ロッカーの　しるしは　□　です。

2 下の えを 見て こたえましょう。　1つ10てん【20てん】

まえ　　　　　　　　　　　　　　　　　　　　　うしろ

① かずやさんは まえから 4ばんめです。いちばん
まえの 人から かずやさんまでは なん人 いますか。

（　　　　　　　　　人）

② さとみさんは うしろから 2ばんめです。さとみさんは
かずやさんの つぎから かぞえて なんばんめですか。

（　　　　　　　ばんめ）

3 立って いる 人は、どこから なんばんめや なん人と
いえば よいですか。　1つ15てん【30てん】

①
左　　　　　　　　　　　　　　　　　　　右

（　　　　　　　から　　　　　　　）

②
左　　　　　　　　　　　　　　　　　右

（　　　　　　　から　　　　　　　）

こたえ ▶ 86ページ

1 あわせて 8に なるように、上と 下の カードを
——で つなぎましょう。

1つ3てん【12てん】

① 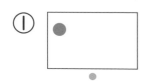 ②  ③  ④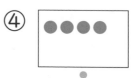

あ 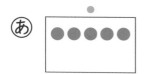 い 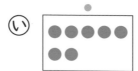 う 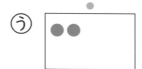 え

2 □に あてはまる かずを かきましょう。

1つ4てん【32てん】

①  は と □

② 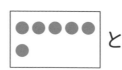 は と □

③ 5は 2と □　　④ 7は 6と □

⑤ 8は 5と □　　⑥ 6は 3と □

⑦ 9は 4と □　　⑧ 10は 8と □

3 □に あてはまる かずを かきましょう。 1つ4てん【32てん】

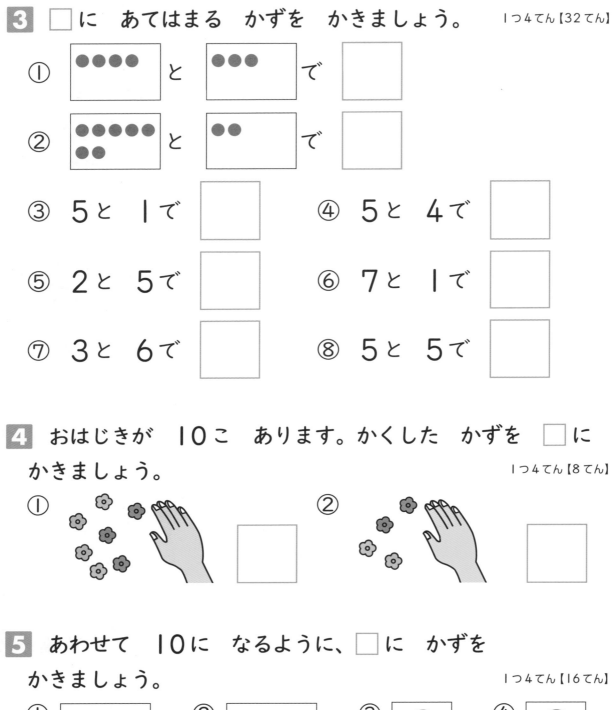

① ●●●● と ●●● で □

② ●●●●● ●● と ●● で □

③ 5と 1で □   ④ 5と 4で □

⑤ 2と 5で □   ⑥ 7と 1で □

⑦ 3と 6で □   ⑧ 5と 5で □

4 おはじきが 10こ あります。かくした かずを □に
かきましょう。 1つ4てん【8てん】

① □   ② □

5 あわせて 10に なるように、□に かずを
かきましょう。 1つ4てん【16てん】

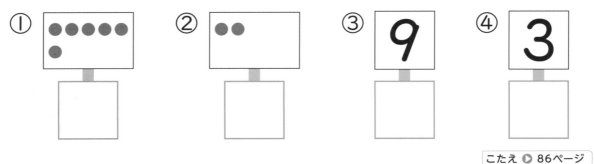

① ●●●●● ●   ② ●●   ③ 9   ④ 3

16

こたえ ▶ 86ページ

いくつと いくつ

1 どの カードと どの カードで ▨ の かずに
なりますか。

　2まい えらんで ○で かこみましょう。　　　1つ4てん【12てん】

① **6**
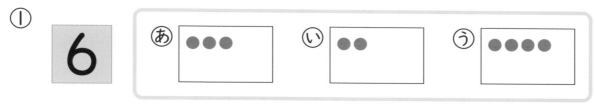

② **7**　　あ **5**　　い **2**　　う **4**

③ **9**　　あ **3**　　い **5**　　う **6**

2 たて、よこ、ななめに 2つの かずを ⬭で かこんで、
10に なる くみを あと 4くみ つくりましょう。

1つ4てん【16てん】

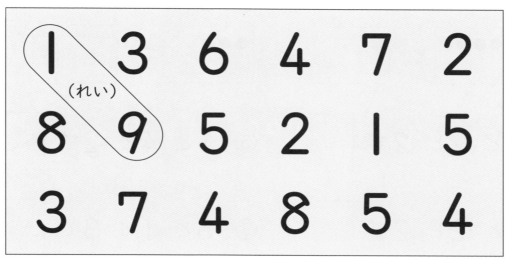

17

3 □に あてはまる かずを かきましょう。 1つ6てん【30てん】

① ●●●●● は ● と ●● と □

② ●●●●● ●●● は ●●● と ●● と □

③ ●●●●● ●●●●● は 4と 1と □

④ 6は 2と 1と □   ⑤ 9は 4と 4と □

4 □に あてはまる かずを かきましょう。 1つ6てん【42てん】

① ●● と ●●● と ●● で □

② ●●●●● と ●● と ●●● で □

③ ●●●●● と ● と ●●● で □

④ 2と 2と 2で □   ⑤ 1と 4と 2で □

⑥ 4と 2と 2で □   ⑦ 6と 1と 3で □

18

こたえ ▶ 86ページ

1 しきに　かきましょう。

1つ4てん【8てん】

① あわせると

 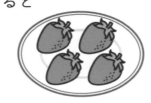

（しき）

②

3人
にん
くると

（しき）

2 たしざんを　しましょう。

1つ4てん【40てん】

① 5 + 2 =

② 3 + 5 =

③ 6 + 3 =

④ 2 + 4 =

⑤ 4 + 4 =

⑥ 7 + 2 =

⑦ 2 + 6 =

⑧ 1 + 9 =

⑨ 5 + 0 =

⑩ 0 + 0 =

3 おなじ こたえの カードを ―― で つなぎましょう。

1つ5てん【20てん】

① 4 + 2　② 6 + 4　③ 2 + 7　④ 5 + 3

あ 4 + 5　い 3 + 3　う 1 + 7　え 2 + 8

4 ともみさんは おりづるを 3つ つくりました。
おねえさんは 4つ つくりました。
　おりづるは、ぜんぶで いくつ できましたか。

しき8てん、こたえ8てん【16てん】

（しき）

こたえ ＿＿＿＿＿＿＿＿＿＿

5 花だんに ちょうが 7ひき います。そこへ 3びき
とんで きました。
　ちょうは、ぜんぶで なんびきに なりましたか。

しき8てん、こたえ8てん【16てん】

（しき）

こたえ ＿＿＿＿＿＿＿＿＿＿

こたえ ▶ 87ページ

たしざん

1 こたえが 大きい ほうの カードに ○を つけましょう。

1つ4てん【24てん】

① $3+2$　$2+1$
（　　）　（　　）

② $2+2$　$4+1$
（　　）　（　　）

③ $0+6$　$4+3$
（　　）　（　　）

④ $6+1$　$2+4$
（　　）　（　　）

⑤ $7+1$　$2+5$
（　　）　（　　）

⑥ $3+6$　$8+2$
（　　）　（　　）

2 1、2、3、4、5を つかって、こたえが 6に なる
たしざんの しきを 5つ つくりましょう。

1つ4てん【20てん】

□ + □ = 6　　□ + □ = 6

□ + □ = 6　　□ + □ = 6

□ + □ = 6

3 □に あてはまる かずを かきましょう。 1つ5てん【30てん】

① 2 + □ = 5　　② 6 + □ = 7

③ 5 + □ = 10　　④ 3 + □ = 8

⑤ 6 + □ = 6　　⑥ 3 + □ = 10

4 きのう いちごを 6こ たべました。きょう 4こ
たべると、ぜんぶで なんこ たべた ことに なりますか。

しき6てん、こたえ6てん【12てん】

（しき）

　　　　　　　　　　　　　こたえ ＿＿＿＿＿＿＿＿

5 すなばに、1年生と 2年生が 4人ずつ います。
すなばに、子どもは なん人 いますか。

しき7てん、こたえ7てん【14てん】

（しき）

　　　　　　　　　　　　　こたえ ＿＿＿＿＿＿＿＿

こたえ ▶ 87ページ

11 ひきざん

1 しきに かきましょう。

1つ4てん【8てん】

①  2こ たべると、のこりは いくつ

（しき）

②

ちがいは いくつ

（しき）

2 ひきざんを しましょう。

1つ4てん【40てん】

① 4－2＝ 　　　② 6－3＝

③ 7－6＝ 　　　④ 8－5＝

⑤ 9－4＝ 　　　⑥ 7－3＝

⑦ 8－2＝ 　　　⑧ 10－7＝

⑨ 4－0＝ 　　　⑩ 6－6＝

3 おなじ こたえの カードを ―― で つなぎましょう。

1つ5てん【20てん】

① $5 - 1$　② $9 - 3$　③ $7 - 4$　④ $10 - 5$

あ $9 - 6$　い $7 - 2$　う $9 - 5$　え $10 - 4$

4 つばめが 8わ います。4わ とんで いくと、のこりは
なんわに なりますか。

しき7てん、こたえ7てん【14てん】

（しき）

こたえ

5 どうぶつえんに、たぬきが 10ぴき、きつねが 8ひき
います。
　どちらが なんびき おおいですか。

しき9てん、こたえ9てん【18てん】

（しき）

こたえ

こたえ ▶ 87ページ

実力アップ

ひきざん

1 こたえが 大きい ほうの カードに ○を つけましょう。

1つ4てん【24てん】

① 8 − 4　6 − 1

（　　）　（　　）

② 9 − 6　7 − 5

（　　）　（　　）

③ 9 − 7　6 − 5

（　　）　（　　）

④ 6 − 4　5 − 2

（　　）　（　　）

⑤ 10 − 6　8 − 3

（　　）　（　　）

⑥ 10 − 3　7 − 1

（　　）　（　　）

2 下の かずを 1かいずつ つかって、こたえが 3に
なる ひきざんの しきを 3つ つくりましょう。

1つ5てん【15てん】

1　3　4

5　6　8

☐ − ☐ = 3

☐ − ☐ = 3

☐ − ☐ = 3

3 □に ＋を 入れても、－を 入れても、こたえが
おなじに なる しきの ばんごうを ぜんぶ かきましょう。
【7てん】

① 3 □ 3 　　② 9 □ 0

③ 0 □ 0 　　④ 5 □ 4 　　(　　　　　　　)

4 □に あてはまる かずを かきましょう。　1つ6てん【36てん】

① 3 − □ = 1 　　② 6 − □ = 4

③ 7 − □ = 3 　　④ 9 − □ = 7

⑤ 8 − □ = 2 　　⑥ 10 − □ = 2

5 きってが 5まい、はがきが 9まい あります。
きっては、はがきより なんまい すくないですか。
しき9てん、こたえ9てん【18てん】

(しき)

こたえ ＿＿＿＿＿＿＿＿

こたえ ▶ 88ページ

13 かずの せいり

きほん

1 下の　文ぼうぐの　かずを　しらべます。

1つ10てん【50てん】

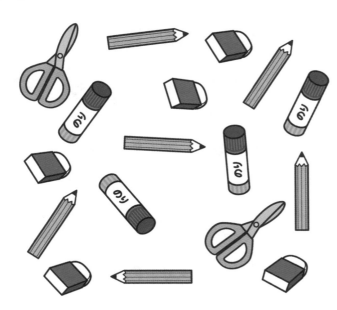

✂	✏	のり	◻
✂	✏	のり	◻
✂	✏	のり	◻
✂	✏	のり	◻
✂	✏	のり	◻
✂	✏	のり	◻
✂	✏	のり	◻
はさみ	えんぴつ	のり	けしゴム

① はさみの　かずだけ、右の
えに　いろを　ぬりました。
　おなじように、えんぴつ、
のり、けしゴムの　かずだけ、
えに　いろを　ぬりましょう。

② いちばん　おおい　文ぼうぐは　どれですか。

（　　　　　　　　　）

③ いちばん　すくない　文ぼうぐは　どれですか。

（　　　　　　　　　）

27

2 どうぶつえんに いる
どうぶつの かずを
しらべて、その かずだけ
右(みぎ)のように えに いろを
ぬりました。 　1つ10てん【50てん】

① いちばん おおい
　どうぶつは どれですか。

　　（　　　　　　　　　　）

② さるは なんびき
　いますか。

　　（　　　　　　　ひき）

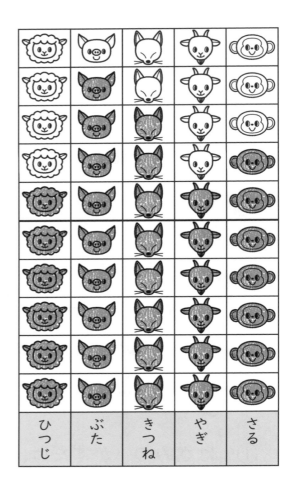

ひつじ	ぶた	きつね	やぎ	さる

③ 8ひき いる どうぶつは どれですか。

　　　　　　　　　　　　（　　　　　　　　　　）

④ おなじ かずの どうぶつは、どれと どれですか。

　　　　　　　（　　　　　と　　　　　　）

⑤ ぶたは、やぎより なんびき おおいですか。

　　　　　　　　　　　　　（　　　　　びき）

28

こたえ ▶ 88ページ

1 下の　くだものの　かずを　しらべます。はこの　中にも
りんごと　みかんが　なんこか　入って　います。

1つ11てん【55てん】

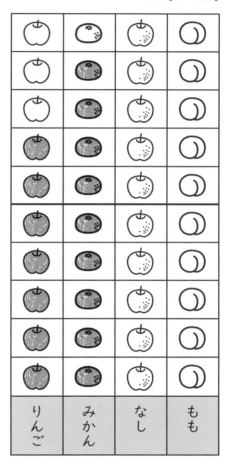

りんご	みかん	なし	もも

① りんごと　みかんの　かずだけ、
右の　えに　いろを　ぬりました。
　なしと　ももの　かずだけ、えに
いろを　ぬりましょう。

② いちばん　すくない　くだものは
どれですか。

（　　　　　　　　　　　）

③ はこの　中には、りんごと　みかんが、それぞれ　なんこ
入って　いますか。

りんご…（　　　　　こ）　みかん…（　　　　　こ）

29

2 れんさんと　はなさんは、いえに　ある　下の　やさいの
かずを　しらべて、かずだけ　えに　いろを　ぬりました。

1つ15てん【45てん】

れんさんの　いえ

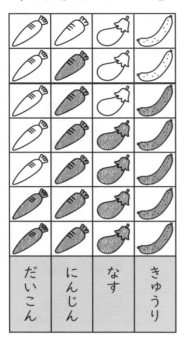

はなさんの　いえ

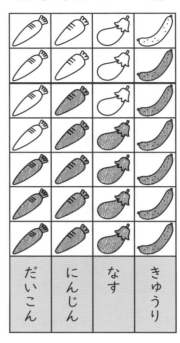

① はなさんの　いえには、にんじんは　なん本
ありますか。

（　　　　　　　　本）

② れんさんの　いえの　ほうが　おおい　やさいは
どれですか。

（　　　　　　　　　）

③ 2人の　いえで、かずが　おなじ　やさいは
どれですか。

（　　　　　　　　　）

30

こたえ ▶ 88ページ

20までの　かず①

1 かずを　かぞえて　すうじで　かきましょう。　1つ5てん【35てん】

①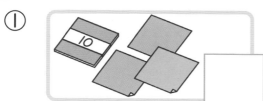

②

③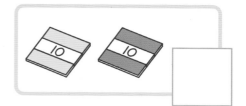

④

⑤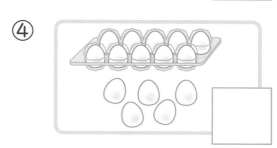

⑥

⑦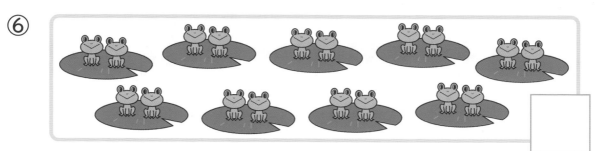

⑧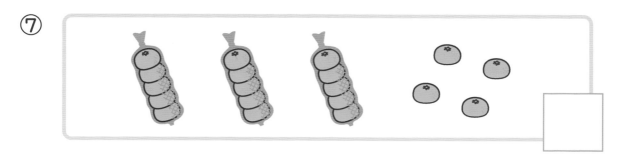

2 □に あてはまる かずを かきましょう。 1つ5てん【30てん】

① 10と 2で □

② 10と 5で □

③ 11は □ と 1

④ 18は □ と 8

⑤ 16は 10と □

⑥ 20は 10と □

3 かずのせんの めもりの かずを □に かきましょう。

1つ5てん【15てん】

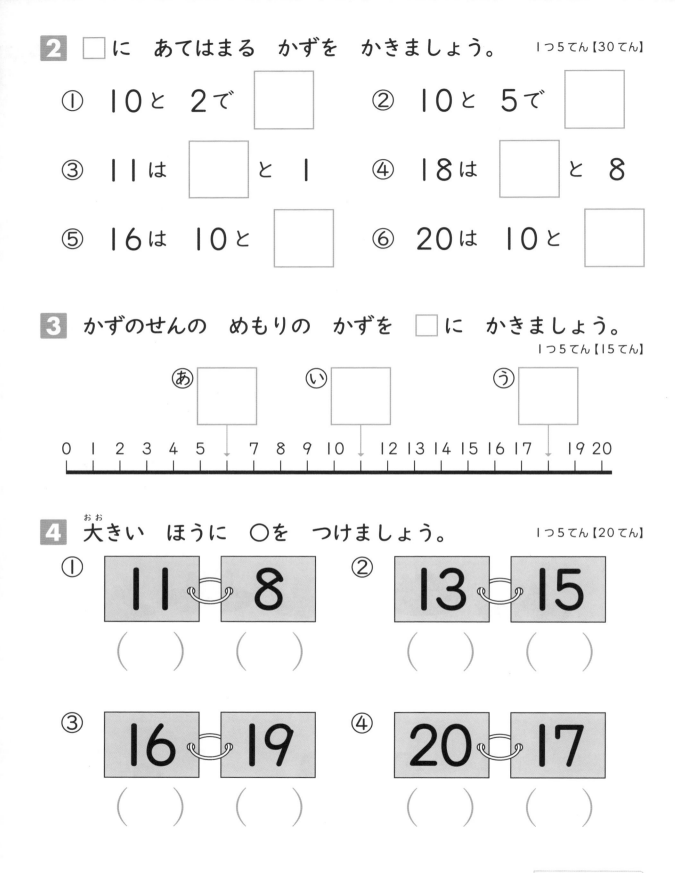

あ □   い □   う □

0 1 2 3 4 5　6 7 8 9 10　12 13 14 15 16 17　19 20

4 大きい ほうに ○を つけましょう。 1つ5てん【20てん】

① 11 8
( ) ( )

② 13 15
( ) ( )

③ 16 19
( ) ( )

④ 20 17
( ) ( )

こたえ ▶ 88ページ

1 けいさんを しましょう。

1つ3てん【24てん】

① $10 + 5 =$ 　　　　② $10 + 1 =$

③ $10 + 7 =$ 　　　　④ $10 + 9 =$

⑤ $12 - 2 =$ 　　　　⑥ $16 - 6 =$

⑦ $13 - 3 =$ 　　　　⑧ $18 - 8 =$

2 けいさんを しましょう。

1つ5てん【40てん】

① $12 + 3 =$ 　　　　② $15 + 3 =$

③ $14 + 2 =$ 　　　　④ $17 + 2 =$

⑤ $15 - 4 =$ 　　　　⑥ $17 - 5 =$

⑦ $19 - 3 =$ 　　　　⑧ $18 - 3 =$

3 こたえが 13に なる しきに ○を つけましょう。

1つ4てん【12てん】

① $10 + 2$ ② $13 - 3$ ③ $10 + 3$

（　　）   （　　）   （　　）

④ $11 + 2$ ⑤ $16 - 2$ ⑥ $18 - 5$

（　　）   （　　）   （　　）

4 おにぎりが 14こ あります。4こ たべると、のこりは
なんこに なりますか。　　　　しき6てん、こたえ6てん【12てん】
（しき）

こたえ _____

5 うさぎが こやの そとに 13びき、こやの 中（なか）に
4ひき います。
　　うさぎは、ぜんぶで なんびき いますか。
　　　　　　　　　　　しき6てん、こたえ6てん【12てん】

（しき）

こたえ _____

こたえ ▶ 89ページ

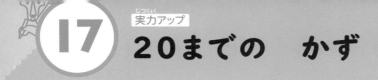

17 実力アップ 20までの かず

月　日　15ふん
とくてん
　　　てん

1 なん円 ありますか。　　　1つ5てん【10てん】

①

（　　　　　円）

②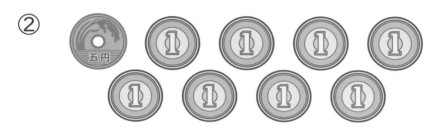

（　　　　　円）

2 ↑の ねこは、左から なんばんめですか。　　　【5てん】

左　　　　　　　　　　　　　　　　　　　　右

（　　　　ばんめ）

3 □に あてはまる かずを かきましょう。　　　1つ4てん【24てん】

① 3と 10で □　　　② 5と 10で □

③ □と 10で 14　　　④ □と 9で 19

⑤ 17は □と 10　　　⑥ □は 10と 10

4 かずのせんの　めもりの　かずを　□に　かきましょう。

１つ5てん【15てん】

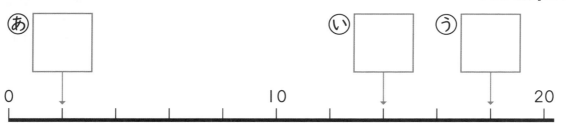

5 □に　あてはまる　かずを　かきましょう。

１つ4てん【16てん】

① 12より　6　大きい　かずは　□

② 11より　4　大きい　かずは　□

③ 19より　3　小さい　かずは　□

④ 20より　8　小さい　かずは　□

6 □に　あてはまる　かずを　かきましょう。

□１つ5てん【30てん】

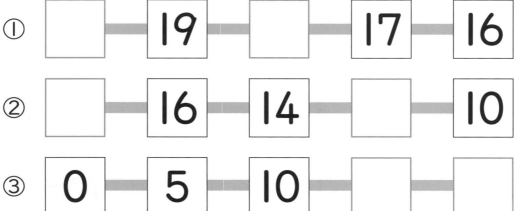

① □ 19 □ 17 16

② □ 16 14 □ 10

③ 0 5 10 □ □

こたえ ▶ 89ページ

3つの　かずの　けいさん

月　日　15
とくてん
　　　　てん

1　はとは　ぜんぶで　なんわに　なりますか。１つの　しきに
かいて、こたえを　もとめましょう。

しき５てん、こたえ５てん【10てん】

１わ　います。

３わ　とんで
きました。

また　２わ
とんで
きました。

（しき）

こたえ _____

2　けいさんを　しましょう。

１つ４てん【32てん】

①　2＋4＋3＝ □　　②　5＋1＋4＝ □

③　5＋5＋2＝ □　　④　2＋8＋6＝ □

⑤　8－2－4＝ □　　⑥　10－3－3＝ □

⑦　14－4－7＝ □　　⑧　16－6－4＝ □

3 けいさんを しましょう。

1つ4てん【32てん】

① 8−4+2= ☐　　② 9−6+4= ☐

③ 10−5+3= ☐　　④ 10−7+6= ☐

⑤ 2+6−3= ☐　　⑥ 6+3−2= ☐

⑦ 5+5−6= ☐　　⑧ 3+7−2= ☐

4 ひまわりの たねが 10こ あります。花(か)だんに 4こ、
うえきばちに 3こ まきました。
　のこりは なんこに なりましたか。　しき6てん、こたえ6てん【12てん】
（しき）

こたえ ＿＿＿＿＿＿＿＿＿

5 エレベーター(え れ べ え た あ)に 9人(にん) のって います。5かいで、7人
おりて、5人 のって きました。
　エレベーターに のって いる 人(ひと)は、なん人に
なりましたか。　しき7てん、こたえ7てん【14てん】
（しき）

こたえ ＿＿＿＿＿＿＿＿＿

こたえ ▶ 89ページ

1 □に ＋か －の しるしを 入れて、正しい しきを
つくりましょう。

1つ3てん【24てん】

① 4＋2 □ 3＝9　② 3＋4 □ 2＝5

③ 6－2 □ 1＝3　④ 10－6 □ 3＝7

⑤ 7＋3 □ 5＝15　⑥ 6＋4 □ 5＝5

⑦ 13－3 □ 6＝4　⑧ 10－8 □ 2＝0

2 □に あてはまる かずを かきましょう。

1つ3てん【24てん】

① 2＋2＋ □ ＝8　② 9＋1＋ □ ＝11

③ 9－2－ □ ＝5　④ 12－2－ □ ＝5

⑤ 5－2＋ □ ＝6　⑥ 10－4＋ □ ＝8

⑦ 2＋6－ □ ＝1　⑧ 4＋6－ □ ＝7

3 けいさんを　しましょう。

１つ３てん【24てん】

① $8-5-3=$ □　　② $2+4-6=$ □

③ $12-2+7=$ □　　④ $19-8+5=$ □

⑤ $16+2-4=$ □　　⑥ $17-5-2=$ □

⑦ $10+5-2=$ □　　⑧ $10+1+7=$ □

4 １年生で　きょう　学校を　休んだ　人は、１くみが
３人、２くみが　４人、３くみが　３人です。
　ぜんぶで　なん人　休みましたか。　しき６てん、こたえ６てん【12てん】
（しき）

こたえ _____

5 こうえんに、１年生が　７人、２年生が　３人　います。
そのうち、４人は　ぼうしを　かぶって　います。
　ぼうしを　かぶって　いない　子どもは、なん人　いますか。
しき８てん、こたえ８てん【16てん】
（しき）

こたえ _____

40

こたえ ▶ 90ページ

20 ながさくらべ

とくてん

てん

1 ながい　ほうに　○を　つけましょう。

1つ6てん【12てん】

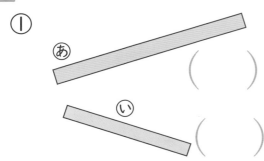

2 ながい　じゅんに　1、2、3の　ばんごうを　かきましょう。

1つ8てん【24てん】

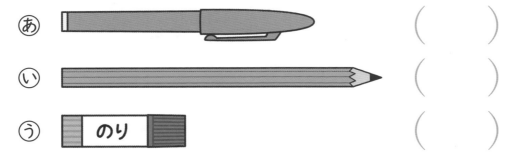

3 いろいろな　ものの　ながさを、テープを
つかって　しらべました。
　いちばん　ながいのは、あ、い、うの
どれですか。

【8てん】

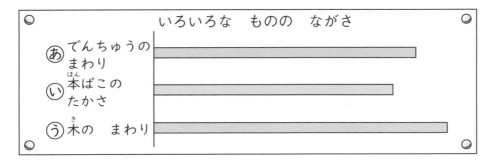

4 ながい　じゅんに　１、２、３の　ばんごうを　かきましょう。

１つ７てん【21てん】

あ 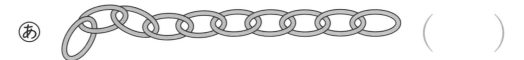 （　　　）

い 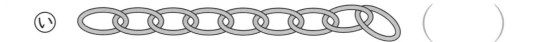 （　　　）

う  （　　　）

5 下の　えを　見て　こたえましょう。

１つ７てん【35てん】

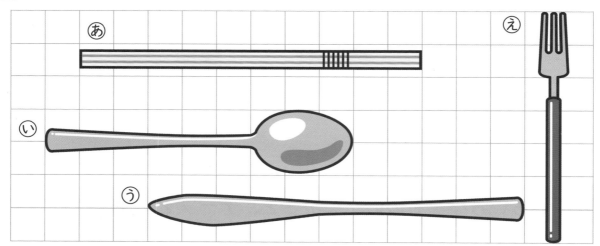

① あは　ますの　なんこぶんの　ながさですか。

（　　　　　　　こぶん）

② ながい　じゅんに　あ、い、う、えで　こたえましょう。

（　　）➡（　　）➡（　　）➡（　　）

こたえ ▶ 90ページ

21 きほん

かさくらべ、ひろさくらべ

1 水は、あと　いの　どちらに　おおく　入りますか。
あ、いで　こたえましょう。

1つ15てん【30てん】

①

あに　いっぱいに
入れた　水を
いに　うつしました。

まだ　入る。

（　　　）

②

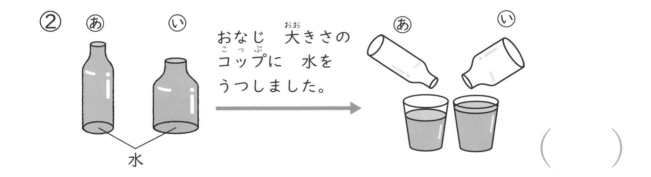

おなじ　大きさの
コップに　水を
うつしました。

（　　　）

2 入って　いる　水が　おおい　ほうに　○を　つけましょう。

1つ10てん【20てん】

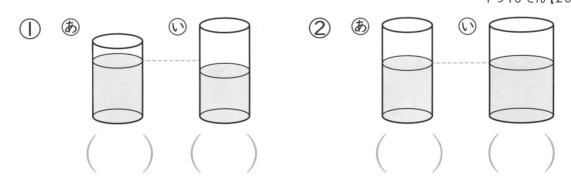

①　あ　　　い

（　　　）　　（　　　）

②　あ　　　い

（　　　）　　（　　　）

3 ⓐと ⓘに いっぱいに 入れた 水を、おなじ 大きさの
コップに うつしました。

1つ15てん【30てん】

① ⓐに 入る 水は、コップ
なんばいぶんですか。

（　　　　　　ぱいぶん）

② どちらが コップ なんばいぶん おおく 入りますか。

（　　　　　）が コップ（　　　　はいぶん）おおく 入る。

（ぜんぶできて15てん）

4 ⓐと ⓘの シートは、どちらが ひろいですか。ⓐ、ⓘで
こたえましょう。

【10てん】

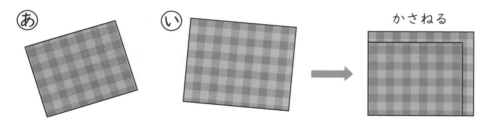

かさねる

（　　　　　）

5 おなじ ひろさの タイルを ならべました。いちばん
ひろいのは、ⓐ、ⓘ、ⓤの どれですか。

【10てん】

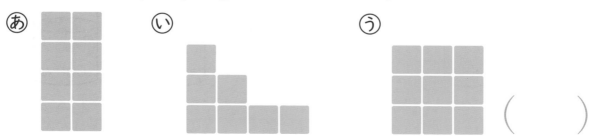

（　　　　　）

こたえ ▶ 90ページ

1 ながい　じゅんに　あ、い、うで　こたえましょう。

1つ6てん【18てん】

あ

い

う

（　　　　）➡（　　　　）➡（　　　　）

2 いちばん　ながい　テープは、あ、い、うの　どれですか。

【10てん】

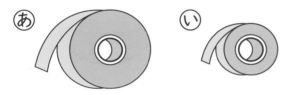 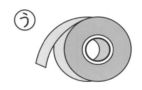

（　　　　）

3 下の　えを　見て　こたえましょう。

1つ10てん【20てん】

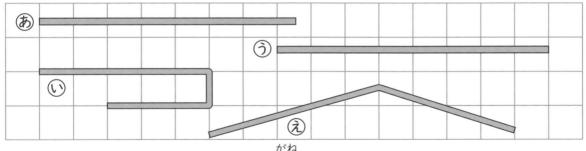

① いちばん　ながい　はり金は　あ、い、う、
えの　どれですか。

（　　　　）

② いは　うより、ますめ　なんこぶん
ながいですか。

（　　　こぶん）

4 入って いる 水が おおい じゅんに あ、い、うで
こたえましょう。

1つ7てん【21てん】

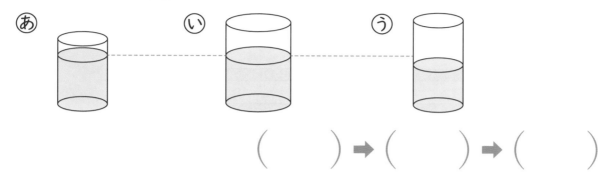

（　　　）➡（　　　）➡（　　　）

5 入る 水が おおい じゅんに、あ、い、うで
こたえましょう。

1つ7てん【21てん】

（　　　）➡（　　　）➡（　　　）

6 下のように、□に いろを ぬりました。いちばん
ひろく ぬったのは、あ、い、うの どれですか。　【10てん】

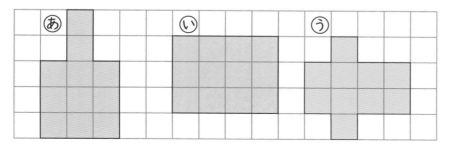

（　　　）

こたえ ▶ 90ページ

1 9+3 の けいさんを します。□に あてはまる かずを かきましょう。

□1つ4てん【12てん】

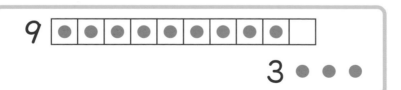

① 9に 3の 中（なか）の □ を たして 10。

② 10と のこりの □ で □。

2 けいさんを しましょう。

1つ5てん【50てん】

① 8＋4　　　　② 9＋6

③ 2＋9　　　　④ 5＋8

⑤ 9＋8　　　　⑥ 8＋6

⑦ 7＋9　　　　⑧ 6＋6

⑨ 4＋7　　　　⑩ 7＋8

3 9+4 と おなじ こたえに なる カード(かあど)を 2つ
えらんで ○を つけましょう。

1つ5てん【10てん】

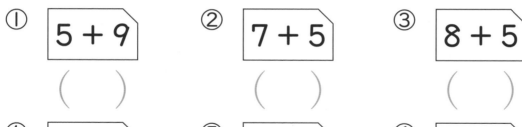

① 5 + 9 　　② 7 + 5 　　③ 8 + 5

(　) 　　　　(　) 　　　　(　)

④ 7 + 7 　　⑤ 6 + 7 　　⑥ 4 + 8

(　) 　　　　(　) 　　　　(　)

4 なわとびを しました。1かいめに 9かい、2かいめに
7かい とびました。
　ぜんぶで なんかい とびましたか。　　しき7てん、こたえ7てん【14てん】
（しき）

こたえ ＿＿＿＿＿＿＿＿＿＿＿

5 ゆかりさんは くりを 6こ たべました。あと 5こ
たべると、ぜんぶで なんこ たべた ことに なりますか。
しき7てん、こたえ7てん【14てん】
（しき）

こたえ ＿＿＿＿＿＿＿＿＿＿＿

こたえ ▶ 91ページ

1 けいさんを しましょう。

1つ5てん【50てん】

① 8＋3

② 4＋9

③ 9＋9

④ 9＋5

⑤ 6＋9

⑥ 5＋7

⑦ 8＋8

⑧ 7＋6

⑨ 3＋9

⑩ 6＋8

2 どうぶつえんに、おすの さるが 8ひき、めすの さるが 7ひき います。

さるは、ぜんぶで なんびき いますか。

しき5てん、こたえ5てん【10てん】

（しき）

こたえ

3 ちゅう車じょうに、じどう車が 9だい とまって います。
2だい くると、ぜんぶで なんだいに なりますか。

しき5てん、こたえ5てん【10てん】

（しき）

こたえ _____

4 ひろとさんは さかなを 8ひき つりました。
おにいさんは 9ひき つりました。
2人で なんびき つりましたか。　しき5てん、こたえ5てん【10てん】
（しき）

こたえ _____

5 しんごさんは きのうまでに 本を 8ページ よみました。
きょう 5ページ よむと、ぜんぶで なんページ よんだ
ことに なりますか。　しき5てん、こたえ5てん【10てん】
（しき）

こたえ _____

6 きのこを 7こ とりました。あと 5こ とると、
ぜんぶで なんこに なりますか。　しき5てん、こたえ5てん【10てん】
（しき）

こたえ _____

こたえ ▶ 91ページ

25 くり上がりの ある たしざん

1 けいさんを しましょう。

1つ4てん【32てん】

① 5 + 2 + 4　　　② 4 + 5 + 5

③ 2 + 3 + 9　　　④ 6 + 2 + 9

⑤ 10 − 4 + 7　　　⑥ 9 − 1 + 8

⑦ 10 − 1 + 2　　　⑧ 8 − 2 + 6

2 こたえが 15に なるように、□に あてはまる かずを かきましょう。

1つ4てん【32てん】

① 6 + □ = 15　　② 7 + □ = 15

③ 8 + □ = 15　　④ 9 + □ = 15

⑤ 10 + □ = 15　　⑥ 11 + □ = 15

⑦ 12 + □ = 15　　⑧ 13 + □ = 15

3 つぎの かずを 1かいずつ つかって、こたえが 13に
なる たしざんの しきを 4つ つくりましょう。

1つ4てん【16てん】

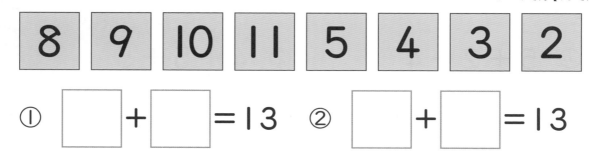

① □ + □ = 13 ② □ + □ = 13

③ □ + □ = 13 ④ □ + □ = 13

4 キャラメルが 6こ 入って いる はこが 2はこ
あります。

　　キャラメルは、ぜんぶで なんこ ありますか。

しき5てん、こたえ5てん【10てん】

（しき）

こたえ ＿＿＿＿＿＿＿＿

5 子どもが 1れつに ならんで います。まえから
めぐみさんまでは 3人、めぐみさんの うしろには 9人
います。

　　みんなで なん人 ならんで いますか。

しき5てん、こたえ5てん【10てん】

（しき）

こたえ ＿＿＿＿＿＿＿＿

こたえ ▶ 91ページ

月　日　15
とくてん　　　　ふん

てん

1 13−8 の　けいさんを　します。□に　あてはまる
かずを　かきましょう。

□1つ4てん【12てん】

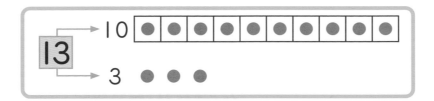

① 13の　中(なか)の　□　から　8を　ひいて　2。

② 2と　のこりの　□　で　□。

2 けいさんを　しましょう。

1つ5てん【50てん】

① 12−7　　　　② 11−9

③ 14−8　　　　④ 12−4

⑤ 17−8　　　　⑥ 11−7

⑦ 14−5　　　　⑧ 16−9

⑨ 13−6　　　　⑩ 15−7

3 おなじ こたえの カードを ―― で つなぎましょう。

1つ4てん【16てん】

① $11-2$ ② $15-8$ ③ $13-7$ ④ $14-6$

あ $12-5$ い $16-8$ う $18-9$ え $11-5$

4 かきが 12こ あります。3こ たべました。
のこりは なんこに なりましたか。 しき5てん、こたえ5てん【10てん】

（しき）

こたえ _____

5 すずむしを、ゆうたさんは 13びき、たくやさんは
9ひき かって います。
ゆうたさんは、たくやさんより なんびき おおく かって
いますか。 しき6てん、こたえ6てん【12てん】

（しき）

こたえ _____

こたえ ▶ 92ページ

1 けいさんを しましょう。　　　　　1つ4てん【40てん】

① 12 − 9　　　　② 13 − 5

③ 11 − 8　　　　④ 14 − 9

⑤ 12 − 6　　　　⑥ 11 − 4

⑦ 17 − 9　　　　⑧ 15 − 6

⑨ 11 − 6　　　　⑩ 14 − 7

2 学校で うさぎを 13びき かって います。そのうち
6ぴきは おすです。
　　めすの うさぎは なんびきですか。　　しき6てん、こたえ6てん【12てん】

（しき）

こたえ ＿＿＿＿＿＿＿＿＿＿

3 でんせんに つばめが 11わ とまって います。3わ
とんで いくと、のこりは なんわに なりますか。

しき5てん、こたえ5てん【10てん】

（しき）

こたえ _____

4 くじを 13本 つくりました。あたりは 4本です。
はずれは なん本ですか。

しき6てん、こたえ6てん【12てん】

（しき）

こたえ _____

5 さくらんぼを、ゆかりさんは 8こ、おとうさんは 12こ
たべました。
たべた かずの ちがいは なんこですか。

しき6てん、こたえ6てん【12てん】

（しき）

こたえ _____

6 かなさんは 10月に としょかんに 15かい
いきました。たくみさんは 9かい いきました。
どちらが なんかい おおく いきましたか。

しき7てん、こたえ7てん【14てん】

（しき）

こたえ _____

こたえ ▶ 92ページ

28 くり下がりの　ある　ひきざん

1 けいさんを　しましょう。

1つ4てん【32てん】

① $12 - 8 + 5$　　② $15 - 9 + 2$

③ $16 - 7 - 4$　　④ $12 - 5 - 4$

⑤ $10 + 3 - 4$　　⑥ $10 + 1 - 7$

⑦ $5 + 6 - 9$　　⑧ $9 + 4 - 8$

2 こたえが　9に　なるように、□に　あてはまる　かずを
かきましょう。

1つ4てん【32てん】

① $11 - \boxed{} = 9$　　② $12 - \boxed{} = 9$

③ $13 - \boxed{} = 9$　　④ $14 - \boxed{} = 9$

⑤ $15 - \boxed{} = 9$　　⑥ $16 - \boxed{} = 9$

⑦ $17 - \boxed{} = 9$　　⑧ $18 - \boxed{} = 9$

3 つぎの かずを 1かいずつ つかって、こたえが 7に
なる ひきざんの しきを 4つ つくりましょう。

1つ4てん【16てん】

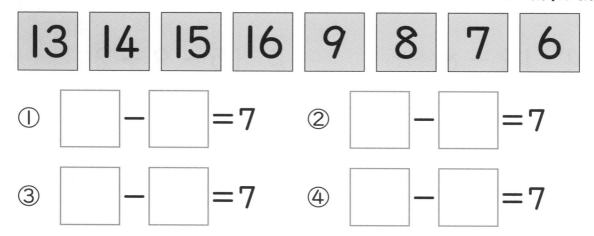

① ☐ − ☐ =7　　② ☐ − ☐ =7

③ ☐ − ☐ =7　　④ ☐ − ☐ =7

4 コップで 水を、なべに 8はい、ポットに 14はい
入れました。
　なべに 入れた 水は、ポットより なんばいぶん
すくないですか。

しき5てん、こたえ5てん【10てん】

（しき）

こたえ _____

5 バスに 11人 のって いました。ていりゅうじょで
5人 おりて、3人 のって きました。
　バスに のって いる 人は、なん人に なりましたか。

しき5てん、こたえ5てん【10てん】

（しき）

こたえ _____

こたえ ▶ 92ページ

1 いくつ ありますか。すうじで かきましょう。

1つ5てん【20てん】

①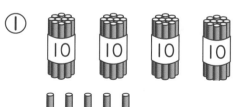

②

③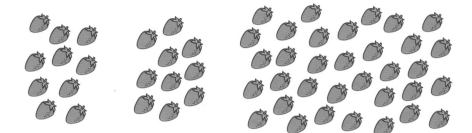

④

2 つぎの かずの 中で、十のくらいの すうじが 6の
かずを ぜんぶ かきましょう。

ぜんぶできて【10てん】

| 26 | 60 | 6 | 67 | 96 |

(　　　　　　　　　　　　)

3 □に あてはまる かずを かきましょう。　1つ6てん【30てん】

① 10が 3こと 1が 8こで □

② 85は、10が □ こと 1が □ こ （ぜんぶ できて 6てん）

③ 10が 5こで □

④ 100は 10が □ こ

⑤ 十のくらいが 9、一のくらいが 3の かずは □

4 □に あてはまる かずを かきましょう。　□1つ5てん【30てん】

① 37 38 39 □ □

② □ 59 58 57 □

③ 80 85 90 □ □

5 大きい ほうに ○を つけましょう。　1つ5てん【10てん】

① 43 34 　　② 76 79

（　）（　）　　　（　）（　）

こたえ ▶ 93ページ

大きな かず②

月　日　15

とくてん

てん

1 いくつ ありますか。すうじで かきましょう。

1つ5てん【10てん】

①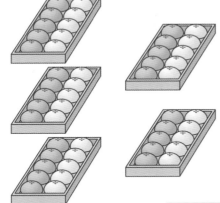

②

2 □に あてはまる かずを かきましょう。

1つ5てん【25てん】

① が 6こと が 4本で □本

② が 9こと が 2まいで □まい

③ 10が 7こで □

④ 34は、10が □こと 1が □こ

(ぜんぶできて5てん)

⑤ 十のくらいが 8、一のくらいが 0の かずは □

3 かずのせんの　めもりの　かずを　□に　かきましょう。

1つ5てん【15てん】

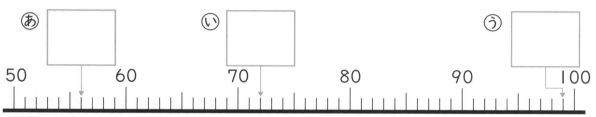

4 □に　あてはまる　かずを　かきましょう。　□1つ5てん【30てん】

① 60より　3　大_{おお}きい　かずは □

① 60より　3　大きい　かずは

② 100より　5　小さい　かずは

③

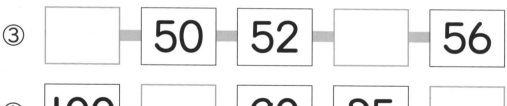

| | 50 | 52 | | 56 |

④

| 100 | | 90 | 85 | |

5 大きい　ほうを　○で　かこみましょう。

1つ5てん【20てん】

① 45　38　　② 50　53

③ 98　100　　④ 87　78

こたえ ▶ 93ページ

1 けいさんを　しましょう。　　　1つ3てん【24てん】

① $30 + 20$　　　　② $50 + 40$

③ $20 + 50$　　　　④ $70 + 30$

⑤ $60 - 20$　　　　⑥ $80 - 50$

⑦ $70 - 60$　　　　⑧ $100 - 80$

2 けいさんを　しましょう。　　　1つ3てん【24てん】

① $50 + 3$　　　　② $70 + 6$

③ $90 + 5$　　　　④ $60 + 9$

⑤ $42 - 2$　　　　⑥ $87 - 7$

⑦ $39 - 9$　　　　⑧ $78 - 8$

3 けいさんを しましょう。 1つ4てん【32てん】

① 25＋2   ② 53＋3

③ 84＋5   ④ 62＋6

⑤ 49－5   ⑥ 78－3

⑦ 98－6   ⑧ 57－3

4 50円の チョコレートと 30円の ガムを かいます。
ぜんぶで なん円に なりますか。 しき5てん、こたえ5てん【10てん】
（しき）

こたえ _____

5 いちごが 45こ あります。5こ たべると、のこりは
なんこに なりますか。 しき5てん、こたえ5てん【10てん】
（しき）

こたえ _____

こたえ ▶ 93ページ

月　日　15ぷん
とくてん
てん

1 かずと　あう　よみかたを　――で　つなぎましょう。

1つ7てん【14てん】

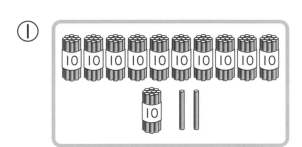

① ⃝

② ⃝

ひゃくに　　　ひゃくにじゅう　　　ひゃくじゅうに

2 なん円　ありますか。下から　えらんで、あ、い、う、え、おで　こたえましょう。

1つ7てん【21てん】

① （　　）

② （　　）

③ （　　）

あ　110円　　　い　108円　　　う　118円

え　105円　　　お　115円

3 かずを かぞえて すうじで かきましょう。　1つ8てん【16てん】

①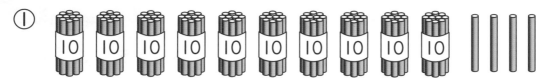

（　　　　）

②

（　　　　）

4 あいて いる □ に あてはまる かずを かきましょう。
1つ7てん【35てん】

90	91	92	93	94	95	96	97	98	99
100		102	103	104	105		107		109
110	111	112	113		115	116	117	118	
120									

5 100円で かえない ものは どれと どれですか。
　あ、い、う、えで こたえましょう。　1つ7てん【14てん】

あ
118円

い
98円

う
85円

え
105円

（　　　　）と（　　　　）

66

こたえ ▶ 93ページ

1 下の　とけいで、10じ30ぷんは　どれですか。
あ、い、うで　こたえましょう。　　　　　　【5てん】

（　　　　）

2 とけいを　よみましょう。　　　　　1つ6てん【54てん】

① 　② 　③

（　　　　）（　　　　）（　　　　）

④ 　⑤ 　⑥

（　　　　）（　　　　）（　　　　）

⑦ **3:00**　⑧ **7:48**　⑨  **10:06**

（　　　　）（　　　　）（　　　　）

3 なんじなんぷんですか。上と 下で おなじ ものを
―― で つなぎましょう。

1つ6てん【18てん】

3:10

3:05

2:50

4 ながい はりを かきましょう。

1つ6てん【18てん】

① 6じ　　② 8じ30ぷん　③ 2じ42ふん

5 下の とけいで、もうすぐ 5じ30ぷんに なる
とけいに ○を つけましょう。

【5てん】

あ

（　　）

い

（　　）

う

（　　）

こたえ ▶ 94ページ

34 実力アップ とけい

1 はりの　さしかたが　正しく　ない　とけいを　1つ
見つけて、あ、い、うで　こたえましょう。　【8てん】

あ 　　い 　　う

（　　　）

2 1日の　せいかつで、とけいと　あう　えを　右から
えらんで、あ、い、う、えで　こたえましょう。　1つ8てん【32てん】

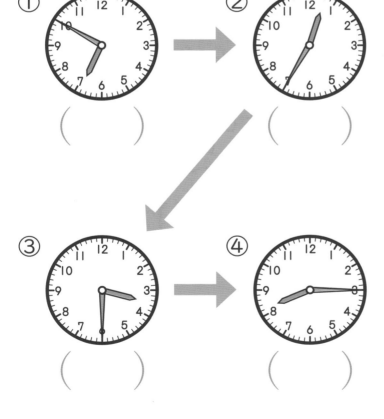

①（　　　）　②（　　　）

③（　　　）　④（　　　）

3 11じ 30ぷんから とけいが すすむ じゅんに、2、3、4、5、6の ばんごうを かきましょう。

1つ8てん【40てん】

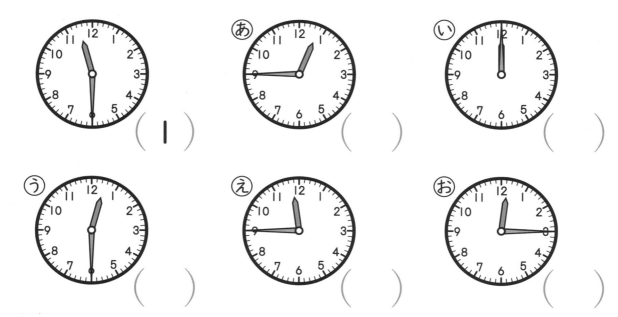

4 とけいの ながい はりが 右のように かくれて 見えません。この とき、ながい はりは どこを さして いるか、下から えらんで あ、い、うで こたえましょう。

【10てん】

5 右の とけいは 5ふん すすんで います。正しい とけいは、なんじなんぷんですか。

【10てん】

( )

こたえ ▶ 94ページ

35 きほん かたち

月　日　15 ふん

とくてん　　　　てん

1 つみ木と　おなじ　かたちの　なかまを　――で
つなぎましょう。

1つ7てん【28てん】

① 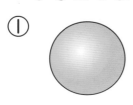　② 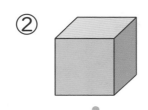　③ 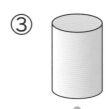　④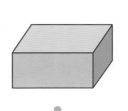

あ 　い 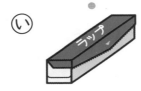　う 　え

2 下の　かたちに　ついて、あてはまる　ものを　ぜんぶ
えらび、あ、い、う、え、おで　こたえましょう。

1つ6てん【30てん】

あ 　い 　う 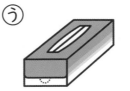　え 　お

① つみかさねやすい　かたちは　どれですか。

（　　　　　　）

② ころがりやすい　かたちは　どれですか。

（　　　　　　）

71

3 ①、②、③の　かたちは、⑧、①、⑨の　どれを　つかって
つくりましたか。あう　ものを　——で　つなぎましょう。

1つ7てん【21てん】

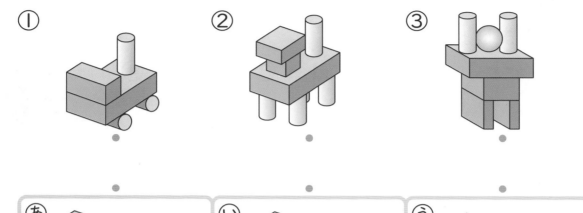

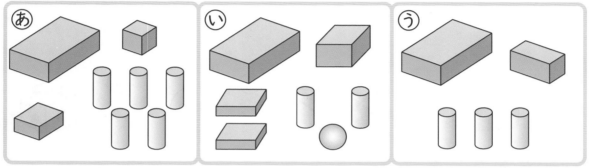

4 ①、②、③の　かたちは、⑧の　いろいたを　なんまい
つかうと　つくれますか。

1つ7てん【21てん】

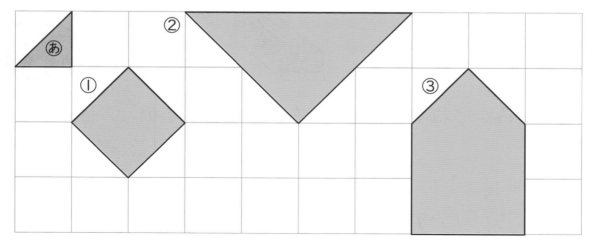

①（　　　まい）　②（　　　まい）　③（　　　まい）

こたえ ▶ 94ページ

かたち

1 おなじ　なかまに　入らない　かたちを　1つ　見つけて、
〇で　かこみましょう。

1つ8てん【16てん】

① ⓐ　ⓘ　ⓤ　ⓔ

② ⓐ　ⓘ　ⓤ　ⓔ

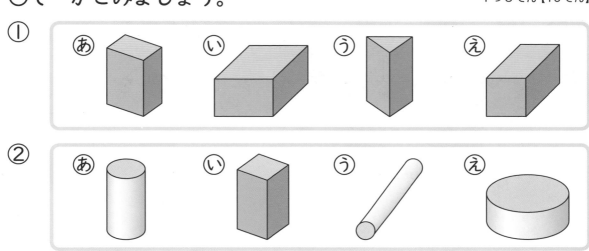

2 おなじ　かたちに　おなじ　いろを　ぬりましょう。　【20てん】

〇…赤いろで　ぬる。
△…きいろで　ぬる。
▭…ちゃいろで　ぬる。
□…みどりいろで　ぬる。

3 いろいろな かたちの いろがみで かにを つくりました。
△、◯、▭の いろがみを それぞれ なんまい
つかったか、□に かずを かきましょう。　1つ8てん【24てん】

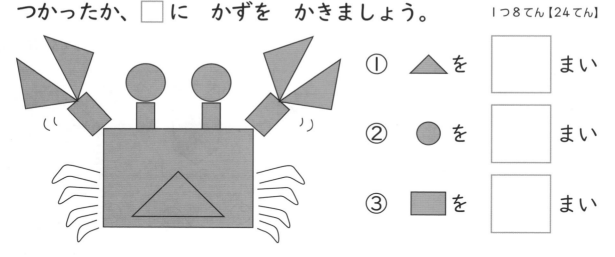

① △ を □ まい

② ◯ を □ まい

③ ▭ を □ まい

4 下(した)の つみ木(き)を まえや 上(うえ)から 見(み)ると、どのような
かたちに 見えますか。
　　見える かたちを ── せん で つなぎましょう。　1つ10てん【40てん】

① ② ③ ④

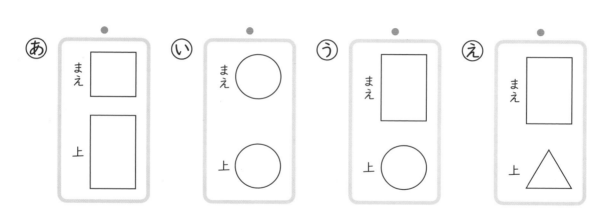

あ 　まえ　上
い 　まえ　上
う 　まえ　上
え 　まえ　上

こたえ ▶ 95ページ

きほん
いろいろな　文しょうだい

1 した
下の　えを　見て　こたえましょう。　　しき6てん、こたえ6てん【48てん】

① ねこと　いぬは、あわせて　なんびき　いますか。
（しき）

こたえ ＿＿＿＿＿＿＿

② ねずみは、ねこより　なんびき　おおいですか。
（しき）

こたえ ＿＿＿＿＿＿＿

③ ねずみと　いぬの　かずの　ちがいは　なんびきですか。
（しき）

こたえ ＿＿＿＿＿＿＿

④ おすの　ねずみは　4ひきです。めすの　ねずみは
なんびき　いますか。
（しき）

こたえ ＿＿＿＿＿＿＿

2 下の えを 見て こたえましょう。 【52てん】

① はとが **4**わ とんで くると、ぜんぶで なんわに
なりますか。　　　　　　　　　　　　　　　しき6てん、こたえ6てん【12てん】
（しき）

こたえ _____

② 11人で かくれんぼを して います。かくれて いる
人は なん人 いますか。　　　　　　　　　　しき6てん、こたえ6てん【12てん】
（しき）

こたえ _____

③ じてん車は ぜんぶで なんだい ありますか。
　　　　　　　　　　　　　　　　　　　　　　しき6てん、こたえ6てん【12てん】
（しき）

こたえ _____

④ 🌼 赤い 花と 🌼 白い 花は、どちらが なん本 おおいですか。
　　　　　　　　　　　　　　　　　　　　　　しき8てん、こたえ8てん【16てん】
（しき）

こたえ _____

こたえ ▶ 95ページ

いろいろな　文しょうだい①

1　子どもが　1れつに　ならんで　います。かなさんは、
まえから　5ばんめです。かなさんの　うしろには　7人
います。

　みんなで　なん人　ならんで　いますか。

しき7てん、こたえ7てん【14てん】

5ばんめ　　　　　　　　　7人

まえ　○　○　○　○　●　○　○　○　○　○　○　○　うしろ

（しき）

こたえ _____

2　1れつに　15人　ならんで　います。みかさんは、
まえから　7ばんめです。

　みかさんの　うしろには、なん人　ならんで　いますか。

しき7てん、こたえ7てん【14てん】

（しき）

こたえ _____

3　子どもが　1れつに　ならんで　います。けんさんは、
まえから　8ばんめです。みゆきさんは、けんさんの
つぎから　かぞえて　6ばんめです。

　みゆきさんは、まえから　なんばんめですか。

しき8てん、こたえ8てん【16てん】

（しき）

こたえ _____

4 がようしが 13まい あります。9人に 1まいずつ
くばると、なんまい のこりますか。　　しき6てん、こたえ6てん【12てん】

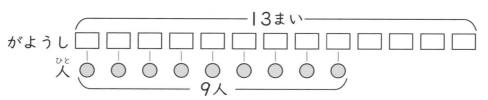

（しき）

こたえ ＿＿＿＿＿＿＿＿＿＿

5 しゃしんを とります。6つの いすに 1人ずつ
すわり、うしろに 7人 立ちます。
　なん人で しゃしんを とりますか。　　しき7てん、こたえ7てん【14てん】

（しき）

こたえ ＿＿＿＿＿＿＿＿＿＿

6 9人が おにぎりを 1こずつ たべると、3こ
あまります。
　おにぎりは、ぜんぶで なんこ ありますか。
　　しき7てん、こたえ7てん【14てん】

（しき）

こたえ ＿＿＿＿＿＿＿＿＿＿

7 ジュースが 8本 あります。14人に 1本ずつ
くばるには、あと なん本 あれば よいですか。
　　しき8てん、こたえ8てん【16てん】

（しき）

こたえ ＿＿＿＿＿＿＿＿＿＿

こたえ ▶ 95ページ

1 としょしつに　1年生が　7人　います。2年生は、
1年生より　4人　おおく　います。
　2年生は、なん人　いますか。

しき7てん、こたえ7てん【14てん】

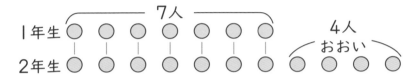

（しき）

こたえ _____

2 なわとびを　しました。のぞみさんは　9かい　とびました。
つよしさんは、のぞみさんより　7かい　おおく　とびました。
　つよしさんは、なんかい　とびましたか。

しき7てん、こたえ7てん【14てん】

（しき）

こたえ _____

3 けしゴムは　60円です。のりは、けしゴムより　30円
たかいそうです。
　のりは、なん円ですか。

しき8てん、こたえ7てん【15てん】

（しき）

こたえ _____

79

4 きゅうりを　12本　かいました。にんじんは、
きゅうりより　5本　すくなく　かいました。
　にんじんは、なん本　かいましたか。　しき7てん、こたえ7てん【14てん】

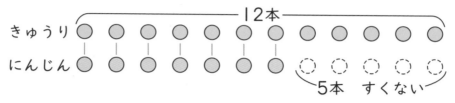

（しき）

こたえ _____

5 たま入れを　しました。りくさんは　11こ　入れました。
れんさんは、りくさんより　2こ　すくなかったそうです。
　れんさんは、なんこ　入れましたか。　しき7てん、こたえ7てん【14てん】
（しき）

こたえ _____

6 本を　きのう　16ページ　よみました。きょうは、
きのうより　9ページ　すくなく　よみました。
　きょうは、なんページ　よみましたか。　しき7てん、こたえ7てん【14てん】
（しき）

こたえ _____

7 ゆうじさんは　つみ木を　13こ　つみました。おとうとは、
ゆうじさんより　5こ　ひくく　つみました。
　おとうとは、なんこ　つみましたか。　しき8てん、こたえ7てん【15てん】
（しき）

こたえ _____

80

こたえ ▶ 96ページ

なまえ

月　日　**20**
とくてん

てん

1 □に あてはまる かずを かきましょう。　1つ3てん【12てん】

① 8は 3と □　② 4と 6で □

③ 10と 3で □　④ 16は 10と □

2 □に あてはまる かずを かきましょう。　□1つ3てん【18てん】

①

| 8 | 9 | □ | □ | 12 | □ |

②

| 10 | □ | 14 | 16 | □ | □ |

3 けいさんを しましょう。　1つ3てん【36てん】

① 4＋3　　② 2＋8

③ 1＋0　　④ 9－6

⑤ 10－4　　⑥ 7－7

⑦ 10＋8　　⑧ 12＋7

⑨ 15－5　　⑩ 18－2

⑪ 7＋3＋9　　⑫ 10＋6－2

4 はり金を つかって、⑥、⑦、⑦の かたちを
つくりました。

1つ6てん【12てん】

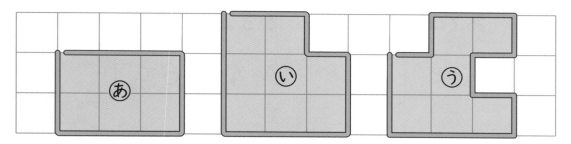

① いちばん ながい はり金は、⑥、⑦、⑦の
　どれですか。　　　　　　　　　　　　　　（　　　）

② いちばん ひろいのは、⑥、⑦、⑦の
　どれですか。　　　　　　　　　　　　　　（　　　）

5 ⑥と ⑦に いっぱいに 入れた 水を、おなじ
大きさの コップに うつしました。どちらが コップ
なんばいぶん おおく 入りますか。

ぜんぶできて【8てん】

（　　　　　）が コップ（　　　　ぱいぶん）おおく 入る。

6 きりんが 3とう、しまうまが 10とう います。
　どちらが なんとう おおいですか。　しき7てん、こたえ7てん【14てん】
（しき）

こたえ

　　　　　　　　　　　　　　　　　　　　　　　　こたえ ▶ 96ページ

なまえ

月　日　**20**
とくてん
てん

1 □に　あてはまる　かずを　かきましょう。　1つ3てん【9てん】

① 10が　8こと　1が　3こで　□

② 58は　10が　□こと　1が　□こ（ぜんぶできて3てん）

③ 十のくらいが　7、一のくらいが　3の　かずは　□

2 □に　あてはまる　かずを　かきましょう。　□1つ3てん【18てん】

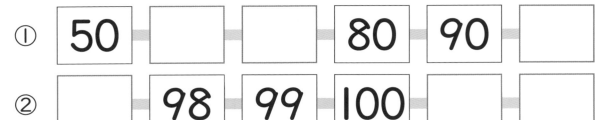

① 50　□　□　80　90　□

② □　98　99　100　□　□

3 けいさんを　しましょう。　1つ3てん【30てん】

① 8＋4　　　　② 7＋9

③ 6＋7　　　　④ 11－6

⑤ 12－4　　　⑥ 14－8

⑦ 60＋40　　⑧ 53＋4

⑨ 100－70　⑩ 89－2

4 とけいを よみましょう。

１つ３てん【９てん】

① 　② 　③

(　　　　)　(　　　　)　(　　　　)

5 つみ木の そこを うつしました。あう かたちを
―― で つなぎましょう。

１つ３てん【12てん】

① 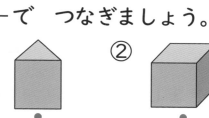　② 　③ 　④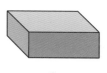

あ 　い 　う 　え

6 バスに ８人 のって いました。ていりゅうじょで
７人 のって きました。ぜんぶで なん人に
なりましたか。

しき５てん、こたえ５てん【10てん】

（しき）

こたえ _____

7 えんぴつが 15本 あります。9人に １本ずつ
くばると、なん本 のこりますか。

しき６てん、こたえ６てん【12てん】

（しき）

こたえ _____

こたえ ▶ 96ページ

こたえとアドバイス

① きほん 10までの かず① 3〜4ページ

1 ①あ ②う ③い ④う

2 ① ☐ 1 ☐ ☐ ☐ ☐ ☐ ☐
② ☐ 4 ☐ ☐ ☐ ☐ ☐ ☐

3 ①2 ②4 ③1 ④3
⑤5 ⑥4

②アドバイス 1から5までの数の学習です。動物や虫などの具体物の数と数図（数を●で表した図）、数字の関係をしっかりとらえさせることが大切です。

2 ぬった数が正しければ、どの積み木をぬっても正解です。

② 実力アップ 10までの かず① 5〜6ページ

1 ①左に○ ②右に○
③右に○ ④左に○

2 ①3に○ ②4に○
③4に○ ④5に○

3 ①1 ②3 ③4

4 ①5 ②1、4 ③2、3

②アドバイス **3**、**4**は、5という数について、分解や合成的な見方にふれることがねらいです。

3 鉛筆が5本になるように、かくした板の上に○をかかせるとよいです。

4 大小や色といった条件を変えると、5は「1と4」や「2と3」に分けられることに気づかせましょう。

③ きほん 10までの かず② 7〜8ページ

1
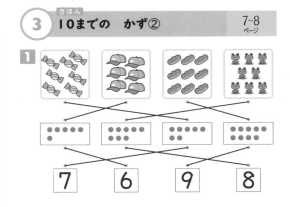
7 6 9 8

2 ①8 ②6 ③10

3 ①7に○ ②8に○
③9に○ ④10に○

4 ①5、8 ②6、10

5 ①4 ②2 ③0

②アドバイス 6から10までの数と、0という数についての学習です。

5 ③は玉が「ひとつもない」ので「0」です。0の意味を理解させましょう。

④ 実力アップ 10までの かず② 9〜10ページ

1 ①3 ②8

2 3こ

3 ①4、1 ②10、6

4 ①5 ②9

5 ①2、4、7 ②0、1、10

6 ①3 ②8、10

②アドバイス **1** 10まで数えたら○で囲ませるとわかりやすくなります。

3 まず、いくつずつ小さく（大きく）なっているか、わかっている数から確かめることが大切です。

5 きほん なんばんめ　11〜12ページ

1 ①4 ②6

2 ①3 ②7 ③本

3 ①5ばんめ ②3ばんめ
　③さとみ（さん）

4 ①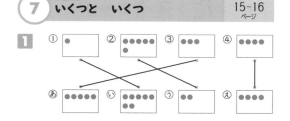
　まえ
　②
　まえ

アドバイス　「〜から何番め」という、ものの順番や位置を表す順序数の学習です。「前や後ろ」、「上や下」、「左や右」といった、数え出す基点を表す言葉に注意して数えさせましょう。

4 ①の「前から4羽」は、ものの数を表す集合数です。②の「前から4羽め」の順序数との違いに気づかせましょう。

6 実力アップ なんばんめ　13〜14ページ

1 ①2、1 ②3、2 ③す

2 ①4人 ②3ばんめ

3 ①左から　5ばんめ
　　（右から　3ばんめ）
　②左から　3人

アドバイス　1　数と上下や左右の言葉を組み合わせれば、位置を正確に表せることに気づかせましょう。

2　①「前から4番め」までの人数は「4人」です。このように、基点が同じとき、順序数と集合数は同じ数になることに気づかせましょう。

3　①は順序数、②は集合数を用いて表します。①の場合、「5番め」を「5人め」と表してもよいです。

7 きほん いくつと　いくつ　15〜16ページ

1

2 ①2 ②3 ③3 ④1
　⑤3 ⑥3 ⑦5 ⑧2

3 ①7 ②9 ③6 ④9
　⑤7 ⑥8 ⑦9 ⑧10

4 ①3 ②6

5 ①4 ②8 ③1 ④7

アドバイス　5から10までの数の構成（いくつといくつ）の学習です。1つの数を合成と分解の2つの見方でとらえられるようになることが大切です。

8 実力アップ いくつと　いくつ　17〜18ページ

1 ①いと⑤ ②あとい ③あと⑤

2

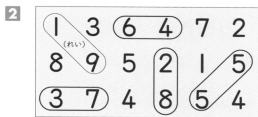

3 ①2 ②3 ③5 ④3 ⑤1

4 ①7 ②10 ③9 ④6 ⑤7
　⑥8 ⑦10

アドバイス　2　10という数の構成は、これからの学習で大変重要になります。2つの数の組み合わせを反射的に答えられるようにしておくことが大切です。

3　おはじきや1円玉などを与え、実際に操作しながら考えさせましょう。

⑨ きほん たしざん 19~20ページ

1 ①5+4=9 ②4+3=7

2 ①7 ②8 ③9 ④6
   ⑤8 ⑥9 ⑦8 ⑧10
   ⑨5 ⑩0

3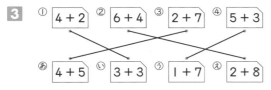

4 しき 3+4=7
   こたえ 7つ

5 しき 7+3=10
   こたえ 10ぴき

アドバイス たし算の意味や式と、答えが10までの数のたし算の学習です。

2 ⑨、⑩は0のたし算です。玉入れなどの具体的な場面をもとにして考えさせましょう。

〔例〕⑨

入った玉の数をあわせると、
5+0=5

⑩ 実力アップ たしざん 21~22ページ

1 ①3+2に○ ②4+1に○
   ③4+3に○ ④6+1に○
   ⑤7+1に○ ⑥8+2に○

2 1+5、2+4、3+3、
   4+2、5+1（順不同）

3 ①3 ②1 ③5 ④5
   ⑤0 ⑥7

4 しき 6+4=10
   こたえ 10こ

---

5 しき 4+4=8
   こたえ 8人

アドバイス 3 □に、0、1、2、3、…と順に数を入れて計算し、答えになる場合を見つけるとよいです。

5 「1年生と2年生が4人ずつ」という場面を正しくとらえることがポイントになります。

⑪ きほん ひきざん 23~24ページ

1 ①6-2=4 ②5-3=2

2 ①2 ②3 ③1 ④3
   ⑤5 ⑥4 ⑦6 ⑧3
   ⑨4 ⑩0

3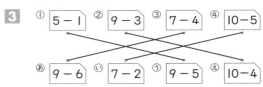

4 しき 8-4=4
   こたえ 4わ

5 しき 10-8=2
   こたえ たぬきが 2ひき
   おおい。

アドバイス ひき算の意味や式と、ひかれる数が10以内の数のひき算の学習です。

2 ⑨、⑩は0のひき算です。ボウリングなどの具体的な場面をもとにして考えさせましょう。

〔例〕⑨ 4本立てて、1本も倒せなかったときの残りの数は、
4-0=4

〔例〕⑩ 6本立てて、6本全部倒したときの残りの数は、6-6=0

87

12 実力アップ ひきざん

25~26ページ

1 ①6−1に〇 ②9−6に〇
③9−7に〇 ④5−2に〇
⑤8−3に〇 ⑥10−3に〇

2 8−5＝3、6−3＝3、
4−1＝3 （順不同）

3 ②、③

4 ①2 ②2 ③4 ④2
⑤6 ⑥8

5 しき 9−5＝4
こたえ 4まい

● アドバイス **2** ひかれる数に大きい数を順に当てはめて、ひく数を見つけていくとよいです。

5 式を「5−9＝4」と間違えていないか、確かめてください。

13 きほん かずの せいり
27~28ページ

1 ①右の図
②えんぴつ
③はさみ

2 ①ぶた
②7ひき
③きつね
④ひつじとやぎ
⑤3びき

● アドバイス ものの数を絵グラフに表したり、それを読み取ったりする学習です。

1 絵グラフは、ものの数の多少を比べるという目的があります。そのため、下から順に色をぬらせてください。どこまでぬるのか、印をつけてからぬらせるとよいです。

14 実力アップ かずの せいり
29~30ページ

1 ①右の図
②もも
③りんご…3こ
みかん…4こ

2 ①5本
②にんじん
③なす

● アドバイス **1** ③りんごの数は、絵グラフから7個とわかります。見えているりんごの数は4個なので、箱の中に3個入っているとわかります。みかんも同様に考えて求めます。

2 2つの絵グラフのどこをどのように見ればよいか、よく考えさせましょう。

15 きほん 20までの かず①
31~32ページ

1 ①13 ②20 ③16 ④15
⑤17 ⑥18 ⑦19

2 ①12 ②15 ③10 ④10
⑤6 ⑥10

3 あ6 い11 う18

4 ①11に〇 ②15に〇
③19に〇 ④20に〇

● アドバイス 11から20までの数の学習です。20までの数を、「10といくつ」というとらえ方で理解することが大切です。

1 ⑥は「に、し、ろく、はち、じゅう」と2ずつ、⑦は「ご、じゅう、じゅうご」と5ずつまとめて数えるとよいでしょう。

16 きほん **20までの かず②** 33~34ページ

1 ①15 ②11 ③17 ④19
⑤10 ⑥10 ⑦10 ⑧10

2 ①15 ②18 ③16 ④19
⑤11 ⑥12 ⑦16 ⑧15

3 ③、④、⑥に○

4 しき 14-4=10
こたえ 10こ

5 しき 13+4=17
こたえ 17ひき

アドバイス 20までの数の構成
（10といくつ）をもとにした計算です。

1 次のように考えて計算します。
①10+5…10と5で15
⑤12-2…12は10と2
2を取ると、残りは10。

2 次のように、ばら（端数）だけ計算
して、「10といくつ」で求めます。
①12+3…❶2と3で5
⌃
10 2 ❷10と5で15
⑤15-4…❶5から4をひいて1
⌃
10 5 ❷10と1で11

17 実力アップ **20までの かず** 35~36ページ

1 ①19円 ②13円

2 14ばんめ

3 ①13 ②15 ③4 ④10
⑤7 ⑥20

4 あ2 い14 う18

5 ①18 ②15 ③16 ④12

6 ①20、18 ②18、12
③15、20

アドバイス **4** 数の線（数直線）で
は、まず1目盛りがいくつになって

いるかを調べることが大切です。こ
の数の線の1目盛りは、2になって
います。

5 間違いが多いようであれば、数の
線を使って確かめさせるようにしま
しょう。

6 ①は1ずつ小さく、②は2ずつ小
さく、③は5ずつ大きくなっている
ことに注意させましょう。

18 きほん **3つの かずの けいさん** 37~38ページ

1 しき 1+3+2=6
こたえ 6わ

2 ①9 ②10 ③12 ④16
⑤2 ⑥4 ⑦3 ⑧6

3 ①6 ②7 ③8 ④9
⑤5 ⑥7 ⑦4 ⑧8

4 しき 10-4-3=3
こたえ 3こ

5 しき 9-7+5=7
こたえ 7人

アドバイス 連続して増えたり減っ
たりする場面をもとに、3つの数のた
し算やひき算の式の表し方や計算の仕
方を理解します。

2 1年生の3つの数の計算は、前か
ら順に計算していきます。初めの2
つの数の計算の答えを式の近くに書
き、残りの数との計算をするとよい
です。③、④、⑦、⑧は、16回で
学習した20までの数の計算がふく
まれます。注意して計算させましょ
う。

4、**5** たすのかひくのかに注意して、
1つの式に書かせましょう。

19 ③実力アップ 3つの かずの けいさん　39~40ページ

1 ①＋　②－　③－　④＋
　　⑤＋　⑥－　⑦－　⑧－

2 ①4　②1　③2　④5
　　⑤3　⑥2　⑦7　⑧3

3 ①0　　②0　　③17　④16
　　⑤14　⑥10　⑦13　⑧18

4 しき　3＋4＋3＝10
　　こたえ　10人

5 しき　7＋3－4＝6
　　こたえ　6人

⚠アドバイス　**1**、**2**　初めの2つの
数の計算をしてから、□に入る記号
や数を考えさせましょう。
　5　全部の人数からぼうしをかぶって
いる人数をひけば、ぼうしをかぶっ
ていない人数が残ると考えます。

20 きほん ながさくらべ　41~42ページ

1 ①あに○　②いに○
2 あ2　い1　う3
3 う
4 あ2　い3　う1
5 ①10こぶん　②う➡あ➡い➡え

⚠アドバイス　　長さを比べる方法を理
解し、長短を判断できるようにします。
　1、**2**　長さを直接比べる方法です。
　1の②は、曲がっているいをのばす
と、あより長くなると考えます。
　3　テープに長さを写して、間接的に
比べる方法です。
　4、**5**　輪やます目を単位として、そ
のいくつ分の長さか、数を使って比
べる方法です。

21 きほん かさくらべ、ひろさくらべ　43~44ページ

1 ①い　②い
2 ①あに○　②いに○
3 ①6ぱいぶん
　　②いが　コップ　2はいぶん
　　おおく　入る。
4 い
5 う

⚠アドバイス　　水のかさや広さ（面積）
を比べる方法を理解し、多少や大小を
判断できるようにします。
　長さと同じように、**1**の①と**4**は直
接比べる方法、**1**の②はコップを使っ
て間接的に比べる方法、**3**はコップ、
5はタイルを単位として、そのいくつ
分あるか、数を使って比べる方法です。
　2　②水面の高さは同じですが、いの
ほうが大きいので、入っている水は
多いと考えられることが大切です。

22 ③実力アップ 大きさくらべ　45~46ページ

1 う➡あ➡い
2 あ
3 ①え　②1こぶん
4 い➡あ➡う
5 あ➡う➡い
6 い

⚠アドバイス　**3**　ます目のいくつ分
の長さか数えて比べます。
　あ7つ分と半分くらい　い9つ分
　う8つ分
　えのばすと、9つ分より長い。
　5　いには水が半分ほど入っているコ
ップがあることに気づかせましょう。

23 きほん **くり上がりの ある たしざん①** 47~48ページ

1 ①1 ②2、12

2 ①12 ②15 ③11 ④13
⑤17 ⑥14 ⑦16 ⑧12
⑨11 ⑩15

3 ③、⑤に○

4 しき 9+7=16
こたえ 16かい

5 しき 6+5=11
こたえ 11こ

💬**アドバイス** くり上がりのあるたし算の学習です。

2 くり上がりのあるたし算は、**1**のようにたされる数で10を作り、「10といくつで10いくつ」と計算する方法が基本ですが、③のようにたす数のほうが10に近い場合は、次のようにたす数で10を作って計算してもよいです。

③2+9 ❶9に2の中の1をたして10。
❷10と残りの1で11。

24 きほん **くり上がりの ある たしざん②** 49~50ページ

1 ①11 ②13 ③18 ④14
⑤15 ⑥12 ⑦16 ⑧13
⑨12 ⑩14

2 しき 8+7=15
こたえ 15ひき

3 しき 9+2=11
こたえ 11だい

4 しき 8+9=17
こたえ 17ひき

5 しき 8+5=13

こたえ 13ページ

6 しき 7+5=12
こたえ 12こ

💬**アドバイス** 文章題を多く出題しています。式、計算、答えと、1つ1つじっくり取り組ませましょう。

25 実力アップ **くり上がりの ある たしざん** 51~52ページ

1 ①11 ②14 ③14 ④17
⑤13 ⑥16 ⑦11 ⑧12

2 ①9 ②8 ③7 ④6
⑤5 ⑥4 ⑦3 ⑧2

3 ①8+5=13 ②9+4=13
③10+3=13 ④11+2=13
＊順不同。たされる数とたす数が入れかわっていても正解です。

4 しき 6+6=12
こたえ 12こ

5 しき 3+9=12
こたえ 12人

💬**アドバイス** **2** 問題を解いたら、次のことに気づかせてください。
・答えが同じたし算は、たされる数が1ずつ大きくなると、たす数は1ずつ小さくなります。

3 1つずつ考えさせてもよいですが、まず、たされる数を8としてたす数を見つけ、**2**のたされる数とたす数の関係から、たされる数を9、10、11として考えさせるとよいです。

5 おはじきを使ったり、下のような図に表したりして考えさせましょう。

めぐみ
○○○●○○○○○○○○
3人　　　　9人

26 きほん **くり下がりの ある ひきざん①** 53~54ページ

1 ①10 ②3、5

2 ①5 ②2 ③6 ④8
　⑤9 ⑥4 ⑦9 ⑧7
　⑨7 ⑩8

3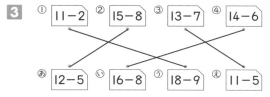

4 しき　12−3=9
　こたえ　9こ

5 しき　13−9=4
　こたえ　4ひき

● アドバイス　くり下がりのあるひき算の学習です。

2 くり下がりのあるひき算は、1のように10いくつの10からひき、残りの数をたす方法が基本ですが、④のようにひかれる数の一の位の数とひく数が近い場合は、次のように10いくつのいくつをひいて10にし、残りを10からひいて計算してもよいです。
④12−4　❶12から2をひいて
　⌃　　　　10。
　2 2　　❷10から2をひいて
　　　　　　8。

27 きほん **くり下がりの ある ひきざん②** 55~56ページ

1 ①3 ②8 ③3 ④5
　⑤6 ⑥7 ⑦8 ⑧9
　⑨5 ⑩7

2 しき　13−6=7
　こたえ　7ひき

3 しき　11−3=8
　こたえ　8わ

4 しき　13−4=9
　こたえ　9本

5 しき　12−8=4
　こたえ　4こ

6 しき　15−9=6
　こたえ　かなさんが　6かい
　　　　　おおく　いった。

● アドバイス　5　式を「8−12=4」と間違える場合があります。注意させましょう。

28 実力アップ **くり下がりの ある ひきざん** 57~58ページ

1 ①9 ②8 ③5 ④3
　⑤9 ⑥4 ⑦2 ⑧5

2 ①2 ②3 ③4 ④5
　⑤6 ⑥7 ⑦8 ⑧9

3 ①13−6=7　②14−7=7
　③15−8=7　④16−9=7
　（順不同）

4 しき　14−8=6
　こたえ　6ぱいぶん

5 しき　11−5+3=9
　こたえ　9人

● アドバイス　2　問題を解いたら、次のことに気づかせてください。
　・答えが同じひき算は、ひかれる数が1ずつ大きくなると、ひく数も1ずつ大きくなります。

3　1つ見つけたら、2のひかれる数とひく数の関係から残りを見つけさせるとよいです。

5　式は「11−5=6、6+3=9」と、分けて書いてもよいです。

㉙ きほん 大きな かず① 59~60ページ

1 ①45 ②60 ③54 ④65

2 60、67

3 ①38 ②8、5 ③50
④10 ⑤93

4 ①40、41 ②60、56
③95、100

5 ①43に〇 ②79に〇

アドバイス 100までの数の学習です。100までの数を、「10が何個で何十、何十と何で何十何」というとらえ方で理解します。また、「十の位」、「一の位」という用語も学習します。

4 ①は1ずつ大きく、②は1ずつ小さく、③は5ずつ大きくなっています。

㉚ きほん 大きな かず② 61~62ページ

1 ①50 ②57

2 ①64 ②92 ③70 ④3、4
⑤80

3 ⓐ56 ⓘ72 ⓤ99

4 ①63 ②95 ③48、54
④95、80

5 ①45に〇 ②53に〇
③100に〇 ④87に〇

アドバイス **4** ③は2ずつ大きく、④は5ずつ小さくなっています。

㉛ きほん 大きな かず③ 63~64ページ

1 ①50 ②90 ③70 ④100
⑤40 ⑥30 ⑦10 ⑧20

2 ①53 ②76 ③95 ④69
⑤40 ⑥80 ⑦30 ⑧70

3 ①27 ②56 ③89 ④68
⑤44 ⑥75 ⑦92 ⑧54

4 しき 50+30=80
こたえ 80円

5 しき 45-5=40
こたえ 40こ

アドバイス **1** 10のまとまりが何個かを考えて計算します。
①30+20 ❶10のまとまりが
3+2で5個。
❷10が5個で50。

2 数の構成（何十と何）を考えて計算します。

3 ばら（端数）だけ計算して、「何十と何で何十何」と求めます。

㉜ 実力アップ 大きな かず 65~66ページ

1
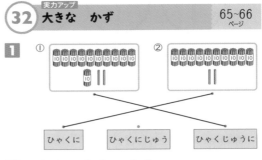

ひゃくに ひゃくにじゅう ひゃくじゅうに

2 ①え ②う ③あ

3 ①104 ②113

4 （左上から順に）101、106、
108、114、119

5 あとえ

アドバイス 「100といくつ」というとらえ方で、120までの数を学習します。

2 ①は「100と5で105」、②は「100と18で118」のように、100とすでに学習した1けたや2けたの数を合わせた数という見方で、読み方と数字の表し方を理解させましょう。

③③ とけい ③③ 67〜68ページ

1 ⑤

2 ①2じ ②9じ30ぷん（9じはん）
③4じ40ぷん ④11じ15ふん
⑤1じ27ふん ⑥5じ59ふん
⑦3じ ⑧7じ48ふん
⑨10じ6ぷん

3
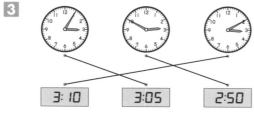

4 ① ② ③

5 ⓘに〇

アドバイス 時計の読み方の学習です。「何時」は文字盤の数字で、「何分」は小さい目盛りで読むことをしっかり理解させましょう。

2 ⑥は、短針が6の近くにあることから、「6時59分」と間違えることがあります。もうすぐ6時になることから、まだ「5時何分」であることを確かめさせましょう。

③④ とけい ③④ 69〜70ページ

1 ⓘ

2 ①ⓘ ②ⓔ ③あ ④⑤

3 あ6 ⓘ3
⑤5 ⓔ2 お4

4 ⑤

5 9じ55ふん

アドバイス **2** 時計の示す時刻を1日の生活と関連させてイメージできることが大切です。示された時刻にお子さまは何をしているか、聞いてみるとよいです。

3 11時30分から、15分ずつ進んでいきます。

4 短針が文字盤の数字の4に近く、まだ4は指していないことから考えさせましょう。

5 10時から5分もどると何時何分かと考えさせましょう。

③⑤ かたち ③⑤ 71〜72ページ

1
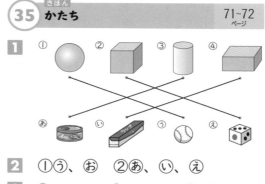

2 ①⑤、お ②あ、ⓘ、ⓔ

3
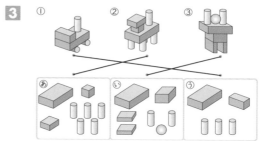

4 ①4まい ②8まい ③10まい

アドバイス 基本的な立体図形や平面図形についての基礎となる感覚をつかむことをねらいとした学習です。

3 使われている立体の形や数に着目して考えさせましょう。

4 それぞれの形の中にあの三角形ができるように線をひいてから数えさせるとよいです。

36 かたち 73~74 ページ

1 ①う に ○ ②い に ○

2

○…赤いろで ぬる。
△…きいろで ぬる。
▭…ちゃいろで ぬる。
◻…みどりいろで ぬる。

3 ①5 ②2 ③5

4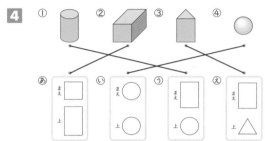

アドバイス 2 形を見つけるとき
は、大きさや傾きなどは関係しない
ことを確認するとよいです。

4 実際にどのように見えるのか、積
み木などを使って確かめさせてみま
しょう。

37 いろいろな 文しょうだい 75~76 ページ

1 ① しき 8+6=14
　　こたえ 14ひき
　② しき 12-8=4
　　こたえ 4ひき
　③ しき 12-6=6
　　こたえ 6ぴき
　④ しき 12-4=8
　　こたえ 8ひき
2 ① しき 9+4=13
　　こたえ 13わ

② しき 11-6=5
　こたえ 5人
③ しき 6+5=11
　こたえ 11だい
④ しき 13-5=8
　こたえ 白い 花が 8本
　　おおい。

アドバイス どれも、これまでに学
習してきた、たし算とひき算の基本的
な文章題です。

38 いろいろな 文しょうだい① 77~78 ページ

1 しき 5+7=12
　こたえ 12人
2 しき 15-7=8
　こたえ 8人
3 しき 8+6=14
　こたえ 14ばんめ
4 しき 13-9=4
　こたえ 4まい
5 しき 6+7=13
　こたえ 13人
6 しき 9+3=12
　こたえ 12こ
7 しき 14-8=6
　こたえ 6本

アドバイス 1~3は順序数を含む
問題、4~7は画用紙と人といった異
種の数を扱う問題です。どの問題も、
図に表して考えさせるとよいです。

1~3では、「前から5番め」を「前
から5人」のように、順序数を集合数
に置き換えて、4~7では、異なる種
類のものを同じ種類のものに置き換え
て考えることがポイントになります。

39 実力アップ **いろいろな 文しょうだい②** 79~80ページ

① しき　7＋4＝11
　こたえ　11人

② しき　9＋7＝16
　こたえ　16かい

③ しき　60＋30＝90
　こたえ　90円

④ しき　12－5＝7
　こたえ　7本

⑤ しき　11－2＝9
　こたえ　9こ

⑥ しき　16－9＝7
　こたえ　7ページ

⑦ しき　13－5＝8
　こたえ　8こ

🕮アドバイス　2つの数のうち、一方の数と2つの数の違い（差）から、**①**～**③**は多いほうの数を、**④**～**⑦**は少ないほうの数を求める問題です。やはり、図に表して考えさせるとよいです。
③「30円高い」を「30円多い」と考えるとわかりやすくなります。
⑦「5個低い」を「5個少ない」と考えるとわかりやすくなります。

40 **まとめテスト①** 81~82ページ

① ①5　②10　③13　④6

② ①10、11、13　②12、18、20

③ ①7　②10　③1　④3
　⑤6　⑥0　⑦18　⑧19
　⑨10　⑩16　⑪19　⑫14

④ ①⑤　②⑥

⑤ ⑥が　コップ　1ぱいぶん
　おおく　入る。

⑥ しき　10－3＝7
　こたえ　しまうまが　7とう
　　　　　おおい。

🕮アドバイス　**④**①はます目のいくつ分の長さか、②はます目のいくつ分の広さか、それぞれ数えて比べます。

41 **まとめテスト②** 83~84ページ

① ①83　②5、8　③73

② ①60、70、100
　②97、101、102

③ ①12　②16　③13　④5
　⑤8　⑥6　⑦100　⑧57
　⑨30　⑩87

④ ①4じ　②7じ30ぷん（7じはん）
　③10じ56ぷん

⑤
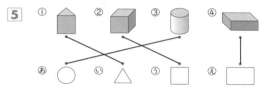

⑥ しき　8＋7＝15
　こたえ　15人

⑦ しき　15－9＝6
　こたえ　6本

🕮アドバイス　**④**2年生では、時刻や時間の意味を考えたり、〇分後、〇分前の時刻を求めたりするなど、さらに進んだ内容になります。時計の読み方は、1年生のうちに確実におさえておくことが大切です。
⑦異種の数を扱った問題です。「9人に配る鉛筆は9本」と、人数を鉛筆の本数に置き換えて考えることがポイントです。